球墨铸铁管及管件技术手册

范英俊　主编

U0314568

北　京

冶 金 工 业 出 版 社

2006

内 容 提 要

本书介绍了球墨铸铁管的制造技术、接口形式、质量标准、安装技术以及特殊用途球墨铸铁管等内容，列举了各种接口的球墨铸铁直管、管件、附件的技术参数，以便于读者选用；附录中的资料可供读者更全面地了解球墨铸铁管的设计、施工等方面的内容。

本书可供制造和应用球墨铸铁管领域的科研、设计、生产、施工、管理人员阅读。

图书在版编目（CIP）数据

球墨铸铁管及管件技术手册/范英俊主编. —北京：冶金工业出版社，2006.1
ISBN 7-5024-3857-2

Ⅰ. 球… Ⅱ. 范… Ⅲ. 球墨铸铁—管材—技术手册 Ⅳ. TG255-62

中国版本图书馆 CIP 数据核字（2005）第 130413 号

出版人 曹胜利（北京沙滩嵩祝院北巷 39 号，邮编 100009）
责任编辑 刘小峰 美术编辑 李 心 燕苍娜
责任校对 石 静 李文彦 责任印制 牛晓波
北京虎彩文化传播有限公司印刷；冶金工业出版社发行；各地新华书店经销
2006 年 1 月第 1 版，2006 年 1 月第 1 次印刷
850mm×1168mm 1/32；9.75 印张；259 千字；296 页；1-4000 册
35.00 元

冶金工业出版社发行部 电话：(010)64044283 传真：(010)64027893
冶金书店 地址：北京东四西大街 46 号(100711) 电话：(010)65289081
（本社图书如有印装质量问题，本社发行部负责退换）

前　言

在生产和销售离心球墨铸铁管的过程中，不少客户（其中包括国外客户）希望我们编写一本关于球墨铸铁管的技术著作，以指导安装使用。以前我们的主要精力集中在离心球墨铸铁管工艺装备的研究开发上，无暇顾及此事，仅整理了一些简单的资料以应一时之需，实有负于关心和支持我们的客户。更主要的原因是我们对离心球墨铸铁管的安装使用缺乏经验，资料也匮乏，心有余而力不足，无法满足大家的要求。随着时间的流逝，我们在离心球墨铸铁管领域里，无论是在生产工艺技术方面，还是在安装使用方面都有了进步，积累了丰富的经验，收集了不少资料，为编写技术著作创造了条件。

在开发离心球墨铸铁管的十几年里，我们取得了长足的进步。在生产工艺方面，掌握了离心球墨铸铁管三种工艺技术——水冷法、热模涂料法和热模树脂砂法，其成套装备实现了国产化，并向国外出口技术与装备；在产品方面，全规格的生产供水管、燃气管、特殊防腐污水管和室内污水管，生产的离心铸铁管口径从 DN50mm 到 DN2200mm，长度从 3m 到 8m，一应俱全，产品畅销国内外市场；在应用方面，国内许多重点工程，如山西、兰州、呼和浩特的引黄工程，武汉、襄樊特大口径排渍工程，城市燃气工程，核电站和机场的工程，我们都参加了工程的安装服务工作，从中汲取了丰富的施工经验。这三方面经验的积累使我们具备了一定能力来编写本书。

本书第 1 章简单介绍了球墨铸铁管的生产及相关性能，限于篇幅，生产工艺技术不能做过深的介绍，有对离心球墨铸铁管生产工艺技术感兴趣的朋友，可以参考我们编写的《离心球墨铸铁管工艺与装备》。

第2章介绍了球墨铸铁管接口形式。我国常用的T型、K型、N型、S型和法兰型接口大家都很熟悉，一些特殊用途的接口我们也做了简要介绍。这些接口在特殊地域和地段的应用是很有意义的，相信这些特殊接口的应用能大大提高我国球墨铸铁管施工技术水平，我们也希望和大家共同开发特殊接口的球墨铸铁管，以提高我国球墨铸铁管生产与应用的整体水平。

第3章介绍了球墨铸铁管的质量标准，其中也简要介绍了一些外国公司针对离心球墨铸铁管所做过的一些试验的资料。

第4～7章介绍了球墨铸铁直管、特殊用途球墨铸铁管、管件和附件的常用品种和规格。值得一提的是，管件的品种和规格繁多，据不完全统计，管件的规格上万种，常用的就有3000～5000种，难以全部涉及。我们在供货过程中，发现大家在施工过程中对管件做了进一步的改进，使之更适应于施工。对这些非标管件，我们将全力支持和配合，以满足施工的需求。在城市施工，受条件限制，大家都提出了在不具备设立基墩的情况下，能否开发出不需要基墩防护、具备足够防滑脱力的管件，这方面的工作我们在努力，更希望大家和我们共同开发。

第8章介绍了球墨铸铁管运输、安装过程中应注意的事项和正确的安装方法，对于具备丰富安装经验的专业施工单位来讲，我们的所为不免班门弄斧。所提供的附录仅供参考，因为我们缺乏这方面的专业知识，权当抛砖引玉。

参加本书的编写人员有范英俊、徐顺友、陈金雷、李绍海、刘志丽、李艳宁等，新兴铸管公司技术中心的一些同志为插图做了许多工作，新兴铸管实业公司印刷厂的编辑人员为本书的录入整理付出了辛勤的劳动，在此表示感谢，并感谢长期支持和信任我们的客户。

由于球墨铸铁管涉及的领域宽，编者水平有限，书中难免存在一些疏漏，恳请广大读者批评指正，以便在再版时改正。

编　者
2005 年 12 月

目　　录

1 球墨铸铁管的制造

1.1 概述

球墨铸铁管广泛应用于城镇的供水、排水、输气工程，与人们的生产、生活息息相关。据有关资料记载，早在16世纪，人们就使用铸铁管供水，最可靠的记载是巴黎郊区的凡尔赛街道和喷泉的给水管道。这条管线是路易十四时期铺设的，从塞纳河至凡尔赛全长约24.14km（15英里），所使用的铸铁管是在1664年至1668年间制造的，单根长度为1066.8mm（3.5英尺），采用法兰和螺栓连接，密封材料是铝。300多年的时光流逝，这条管线在长期的使用中，除部分管道和接头维修更换外，至今仍在使用。我国在20世纪50年代修复南京城墙时，也挖掘出明朝洪武年间的铸铁管遗物，足见我国使用铸铁管也有几百年的历史了。目前上海、天津等大城市在旧城街巷20世纪初铺设的铸铁管至今仍有在继续使用的。

即使在新技术、新材料不断涌现的今天，铸铁管也是其他新材料所难以完全取代的，在供水、排水、输气工程领域里仍占有重要的地位。这一古老的产品之所以长盛不衰，原因有三：一是材料的资源丰富，并可再生利用，对环境无不良影响；二是经济可靠，耐腐蚀，寿命可逾百年；三是随着技术进步，铸铁管的性能得到不断改进，生产率不断提高，满足了人们新的需求。特别是20世纪50年代，球墨铸铁新技术的出现，铸铁管的性能产生了质的飞跃，其性能不仅保持了耐腐蚀的特点，而且还具有一定的伸长率，将铁和钢的优点结合在一起。离心铸造新技术的出现，是铸铁管生产进入现代经济时代的里程碑。

从80年代开始，世界球墨铸铁管的年产量一直以3%～

5%的速度增长。目前，世界球墨铸铁管的年总产量约800万t。在即将进入21世纪的时候，《世界财富》杂志认为，21世纪里水工业将处于主导地位，日益重要，水将成为全球共同关注的事情。目前水工业的总产值约为全球石油工业产值的40%，为医药工业的4倍，21世纪将有更大的发展，因为全球有30%~40%的区域缺水或严重缺水。我国是一个水资源缺乏的国家，人均水资源的拥有量在世界处于中下水平，全国约有600多个城市缺水，严重缺水的城市200多个，供水产业亟待发展。水工业的需求为球墨铸铁管提供了发展空间。

离心球墨铸铁管从20世纪50年代开始发展，发达国家花了30年的时间，实现了灰铁管向球墨铸铁管的重大转变。目前，发达国家球墨铸铁管的使用率在95%以上。我国是从80年代开始发展离心球墨铸铁管的，通过20多年的努力，年产量已达到200万t左右，接近了我国铸铁管的需求量，但球墨铸铁管的普及率只有30%。随着经济的进一步发展，球墨铸铁管的普及将越来越广，在21世纪的头十年，我国离心球墨铸铁管工业将得到飞速发展。

尽管我国的离心球墨铸铁管工业起步较晚，但在广大技术人员和全国自来水协会和燃气协会的大力支持下，离心球墨铸铁管工业发展十分迅速。目前，我国的离心球墨铸铁管已进入国际市场，质量达到国际水准，具有较强的竞争能力，令世界同行刮目相看。在工艺技术上，完全掌握了水冷金属法、热模涂料法、热模树脂砂法三种工艺；在离心铸管机装备的研制方面，全部设备实现了国产化，由技术装备进口转变为出口；在品种规格上，品种齐全，供水管、燃气管各种接口形式的铸管一应俱全，目前新兴铸管公司所生产的DN2200mm×8000mm离心球墨铸铁管为世界之最，充分地展现了我国球墨铸铁管的生产技术水平。

1.2 球墨铸铁管的生产工艺

球墨铸铁管的生产工艺如图 1-1 所示。

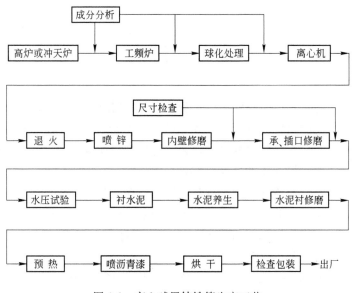

图 1-1 离心球墨铸铁管生产工艺

高质量的球墨铸铁管是采用离心铸造工艺生产的，而采用砂型铸造或拉管法是很难保证球墨铸铁管质量的。在离心力（一般为 $40G \sim 50G$）的作用下，铁水中的杂质及气体得到充分的排除，使管壁十分密实，可以最大限度地减薄壁厚，节约材料。这是传统铸造工艺无法实现的。球墨铸铁管伸长率的高低取决于两个因素：一是铁基体中石墨的球化率和大小；二是球化后铁的金相组织，即铁素体、珠光体、渗碳体的比例。实践证明，铁水球化处理后，必须消除渗碳体，才能保证铸管有较好的伸长率。当珠光体的比例控制在 10% ~ 15% 时，球墨铸铁管的伸长率可超过 10%，最高可达 20% 以上；当珠光体的比例控制在 15% ~ 25% 时，球墨铸铁管的伸长率可超过 7%，最高可达 15%。铸态球墨铸铁管如果不采取退火处理的措施，伸长率是很难保证达到标准的。

离心铸造工艺有两种方法：一是水冷法，二是热模法。热模法根据管模内所使用的保护材料不同，又分为树脂砂法和涂料法。树脂砂法所生产的铸管，表面质量较差，所以常采用涂料法生产。水冷法可用于 DN80～1400mm 铸管的生产，外观质量很好，生产率较高。热模法常用于 DN1000mm 以上大口径铸管的生产。

水冷法生产的铸管，由于铁水在管模内急剧冷却，容易形成渗碳体，所以要通过高温（>920℃）退火处理。而热模法由于铁水在管模内冷却速度缓慢，凝固过程中渗碳体很少产生，因此退火处理的温度较低（>720℃）。

离心球墨铸铁管的质量要求很高。首先要求生铁的有害元素较少，其中硫的含量小于 0.025%，磷的含量小于 0.04%，超过了国家一级生铁的标准，所以在高炉和冲天炉熔炼过程中要对硫、磷等元素进行有效控制。

离心球墨铸铁管的生产过程如图 1-2～图 1-9 所示。

图 1-2　水冷法离心球墨铸铁管生产现场

图 1-3　热模法离心球墨铸铁管生产现场

图 1-4　球墨铸铁管退火处理现场

图 1-5　球墨铸铁管表面喷锌现场

图 1-6　球墨铸铁管水压试验现场

图 1-7　球墨铸铁管水泥涂衬现场

图 1-8　球墨铸铁管喷刷沥青现场

图 1-9　新兴铸管生产场景

1.3　球墨铸铁管的性能

1.3.1　基本性能

1.3.1.1　化学成分

球墨铸铁管及管件的化学成分中主要元素有碳、硅、锰、磷、硫和镁。根据离心浇铸工艺和退火工艺的不同，铁水成分也不尽相同，如表 1-1 所示。

表 1-1　不同离心浇铸工艺、退火工艺条件下的铁水成分　（%）

离心工艺	退火工艺	C	Si	Mn	P	S	Mg
水冷金属型	高温退火	3.2~3.5	2.4~2.6	≤0.4	≤0.08	≤0.02	≥0.035
热模涂料法	低温退火	3.3~3.7	1.8~2.5	≤0.4	≤0.07	≤0.02	≥0.050
热模树脂砂法	低温退火	3.2~3.5	2.0~2.2	≤0.4	≤0.07	≤0.02	≥0.050

1.3.1.2　金相组织

球墨铸铁管的金相组织如图 1-10 所示。在铁素体和珠光体

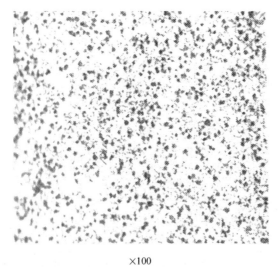

×100

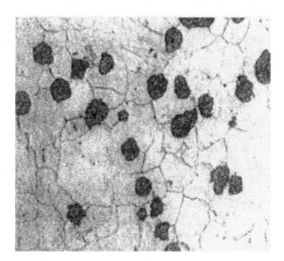

×500

图 1-10　球墨铸铁管金相组织

基体上分布有一定数量的球状石墨，根据公称口径及对伸长率的要求不同，基体组织中铁素体和珠光体的比例有所不同，小口径球墨铸铁管珠光体比例相对应少一些，一般应不大于 20%；大口径球墨铸铁管珠光体比例应多一些，一般可控制在 25% 左右。石墨的圆整度应达到 GB 9441 规定的 1～3 级，石墨大小应达到 GB 9441 规定的 6～8 级。

1.3.1.3　力学性能

球墨铸铁管具有高强度、高伸长率，且硬度低，方便机械加工。国家标准、国际标准和国外标准关于力学性能的规定如表 1-2 和表 1-3 所示。

表 1-2　离心球墨铸铁管的力学性能

标　准	最小抗拉强度 /MPa	最小屈服强度 /MPa	最小伸长率/%	
GB/T 13295	DN40～2600mm	DN40～2600mm	DN100～1000mm	DN1100～2600mm
	420	300	10	7
ISO 2531	DN40～2600mm	DN40～2600mm	DN40～1000mm	DN1100～2600mm
	420	300	10	7
EN 545	DN40～2000mm	DN40～2000mm	DN40～1000mm	DN1100～2000mm
	420	300	10	7
JIS C 5526	DN75～2600mm	DN75～2600mm		
	420	10		

表 1-3　球墨铸铁管件及附件的力学性能

标准号	最小抗拉强度/MPa	最小屈服强度/MPa	最小伸长率/%
GB/T 13295	DN40～2600mm	DN40～2600mm	DN40～2600mm
	420	300	5
ISO 2531	DN40～2600mm	DN40～2600mm	DN40～2600mm
	420	300	5

标准号	最小抗拉强度/MPa	最小屈服强度/MPa	最小伸长率/%
EN 545	DN40 ~ 2000mm	DN40 ~ 2000mm	DN40 ~ 2000mm
	420	300	5

各标准均将最小屈服强度作为供需双方的协商条件。ISO 2531 和 EN 545 还规定，对于 DN 40 ~ 1000mm 的铸管，当伸长率大于和等于 10% 时，最小屈服强度为 300MPa；壁厚等级超过 K12 时，最小伸长率为 7%。对于大于 DN1000mm 的铸管，当伸长率大于和等于 7% 时，最小屈服强度为 300MPa。

各标准均规定布氏硬度不大于 HB230。

1.3.2 管体强度

衡量管体强度的主要指标是铸管的承压能力。球墨铸铁管的水压试验是对管体强度的一种检验方法，但它不是铸管所能承受的正常运行压力。球墨铸铁管的允许工作压力 PFA 可由下式计算：

$$PFA = \frac{20eR_m}{DSF}$$

式中 e——铸管最小壁厚，mm；

R_m——最小抗拉强度，取 $R_m = 420MPa$；

D——铸管平均直径（DE $- e$），mm；

SF——安全系数，取 $SF = 3$。

最大允许工作压力 PMA 与 PFA 的计算公式相同，但取 $SF = 2.5$，因此得出：

$$PMA = 1.2PFA$$

允许试验压力 PEA 一般情况下为 $PMA + 0.5MPa$；当 $PFA = 6.4MPa$ 时，$PEA = 1.5PFA$。这些允许压力值表明离心球墨铸铁管具有较高的管体强度，但作为一条管线的承压能力要受到其他部分低承受压力的限制，如管件以及接头的抗拔脱能力等。

表示管体强度的另一个指标是爆破水压 p，其计算公式为：

$$p = \frac{2eR_m}{D}$$

式中　p——爆破水压，MPa；

　　　e——铸管最小壁厚，mm；

　　　R_m——最小抗拉强度，取 $R_m = 420$MPa；

　　　D——铸管公称直径，mm。

表 1-4 为 $K9$ 级各种规格离心球墨铸铁管的爆破水压值。

表 1-4　$K9$ 级球墨铸铁管的爆破水压

规格/mm	爆破水压/MPa	规格/mm	爆破水压/MPa	规格/mm	爆破水压/MPa
DN40	97.9	DN300	16.7	DN1100	9.2
DN50	78.1	DN350	14.4	DN1200	9.0
DN60	65.0	DN400	13.4	DN1400	8.6
DN65	59.9	DN450	12.7	DN1500	8.5
DN80	49.4	DN500	12.1	DN1600	8.4
DN100	39.5	DN600	11.2	DN1800	8.2
DN125	31.6	DN700	10.6	DN2000	8.1
DN150	26.3	DN800	10.1	DN2200	7.9
DN200	20.2	DN900	9.7	DN2400	7.8
DN250	17.5	DN1000	9.4	DN2600	7.8

1.3.3　球墨铸铁管的耐腐蚀性能

球墨铸铁管虽然在我国使用时间较短，不足 20 年，但是在国外已有 50 多年的使用历史，其耐腐蚀性能优于钢管，与普通铸铁管不相上下已得到广泛的认同。下面列举一些试验结果，通过比较证明球墨铸铁管具有优越的耐腐蚀性：

（1）自来水、蒸馏水中的耐腐蚀试验结果，如表 1-5 ～表 1-7所示。

表 1-5　各种管子的自来水水流腐蚀试验结果

试验用管	腐蚀量/mg·cm⁻²	
	45 天后腐蚀	90 天后腐蚀
球墨铸铁管	0.389	0.583
普通铸铁管	0.389	0.667
焊接钢管	1.905	2.566

注：用喷枪将自来水雾化，喷洒 10h，停止 14h，反复进行干湿试验。

表 1-6　浸入自来水中试验结果

试验用管	腐蚀量/mg·(dm²·天)⁻¹
球墨铸铁管	32.4
普通铸铁管	34.9

注：吹入空气，加热 90~95℃40h，总浸入时间为 196h。

表 1-7　浸入蒸馏水中试验结果

试验用管	腐蚀量/mg·(dm²·天)⁻¹	
	浸入水中静置 380 天	浸入水中 380 天吹压缩空气
球墨铸铁管	6.1	19.1
普通铸铁管	6.2	19.3
钢　　管	7.5	24.5

（2）海水、人工海水、盐水中的耐腐蚀试验结果，如表 1-8~表 1-10 所示。

表 1-8　海水中浸入试验结果

试验用管	不同浸入时间腐蚀量					
	/mg·(dm²·天)⁻¹			/mm·a⁻¹		
浸入时间	90 天	180 天	360 天	90 天	180 天	360 天
球墨铸铁管	24.0	16.1	13.2	0.122	0.081	0.066
普通铸铁管	24.9	16.4	14.5	0.127	0.083	0.073
钢　　管	30.2	20.7	27.3	0.140	0.097	0.130

注：浸入海水中，加机械搅拌。

表 1-9　人工海水中浸入试验结果

试验用管	腐蚀量/mg·（dm^2·天）$^{-1}$
球墨铸铁管	15.8
普通铸铁管	19.4
钢　　管	25.4

注：吹入压缩空气，浸入 380 天。

表 1-10　盐水中浸入试验结果

试验用管	腐蚀量/mg·（dm^2·天）$^{-1}$
球墨铸铁管	22.1
普通铸铁管	36.2

注：在 3% 的盐水中浸入 165h。

试验数据表明，随着时间的延长，由于腐蚀生成物的影响，球墨铸铁管和普通铸铁管的腐蚀量就相应减少，而钢管几乎不存在这种影响。

（3）耐酸、耐碱试验结果，如表 1-11 ~ 表 1-14 所示。

表 1-11　盐酸溶液中浸入试验结果

试验条件及试验用管	腐蚀量/mg·cm^{-2}					
盐酸浓度	1%			5%		
试验时间	24h	48h	72h	24h	48h	72h
球墨铸铁管	1.944	2.780	3.337	2.618	3.946	5.320
普通铸铁管	6.882	9.046	9.824	11.982	33.132	44.706

表 1-12　硝酸溶液中浸入试验结果

试验条件及试验用管	腐蚀量/mg·cm^{-2}					
硝酸浓度	1%			5%		
试验时间	24h	48h	72h	24h	48h	72h
球墨铸铁管	3.849	5.048	5.275	20.166	25.654	28.136
普通铸铁管	4.996	5.262	5.845	21.293	25.447	25.901

表 1-13　硫酸溶液中浸入试验结果

试验条件及 试验用管	腐蚀量/mg·cm^{-2}					
硫酸浓度	1%			5%		
试验时间	24h	48h	72h	24h	48h	72h
球墨铸铁管	1.763	2.378	2.832	2.015	4.607	7.530
普通铸铁管	5.301	11.120	11.742	11.321	23.023	30.411

表 1-14　苛性钠溶液中浸入试验结果

试验条件及试验用管	腐蚀量/mg·cm^{-2}	
苛性钠溶液浓度	5%	30%
试验时间	180 天	180 天
球墨铸铁管	0.486	0.188
普通铸铁管	0.492	0.194

1.3.4　球墨铸铁管的耐电蚀性能

1.3.4.1　电腐蚀的一般原理

一般埋于地下的金属导体都能测定出一定容量的电流，由这种电流而引起的金属体腐蚀现象称为电解腐蚀，简称电腐蚀或电蚀。这种电腐蚀主要是由电动机车钢轨产生泄漏电流引起的。

防止电腐蚀有下列各种方法：

（1）在地铁方面能减轻电腐蚀的方法：

1）增加轨道底座的泄漏电阻；

2）减小钢轨电阻；

3）缩小供电区域；

4）使用绝缘电线。

（2）在地下管道方面采取的防腐蚀方法：

1）选择敷设线路；

2）加绝缘接头；

3）排流法；

4）连接低电位金属；

5）隔离导电体；

6）用绝缘物隔离；

7）用绝缘物包裹；

8）化学防电腐蚀法。

1.3.4.2 球墨铸铁管的耐电蚀性

球墨铸铁管由于电阻较大，故不易产生电腐蚀。机械接口球墨铸铁管用橡胶圈密封具有绝缘作用，故也不需要担心电腐蚀。球墨铸铁和钢的电阻值如表1-15所示。

表 1-15 球墨铸铁和钢的电阻值

材　　料	电阻值/Ω
球墨铸铁	$50 \sim 70$
钢	$10 \sim 20$

1.3.4.3 电解腐蚀保护

由于管道在每根铸管的接口处都使用橡胶圈来密封，因此，离心球墨铸铁管本身就具有防电解腐蚀保护功能，不需要做电解保护。只有在一些特殊的条件下，如果管道有可能形成一条电导线，使用聚乙烯套可以起到高度的隔离作用，使管道不受电解腐蚀作用的影响。

1.3.4.4 阴极防腐保护法

离心球墨铸铁管道由丁连接系统使用橡胶圈密封而使其具有很高的电阻，所以一般情况下不需要做阴极防腐保护。即使对于一些需要做阴极防腐保护的地区，只要使用了聚乙烯套保护，也不需要做阴极防腐保护，而且聚乙烯套保护比做阴极防腐保护的效果更好。

1.4 球墨铸铁管的内衬

球墨铸铁管的水泥砂浆内衬有两方面的作用：一方面是可以提高球墨铸铁管的耐腐蚀性能；另一方面是可以起到保

护水质的作用。因此，球墨铸铁管的水泥砂浆内衬不仅其厚度和表面质量要符合有关的技术标准，而且不得对水质产生任何有害的影响。一般球墨铸铁管的水泥砂浆内衬应经过国家卫生检疫部门的检验。

1.4.1 水泥砂浆内衬用原料及其配比

水泥砂浆内衬用原料包括：

（1）水泥。用于内衬的水泥应符合国家规定的水泥标准。

（2）沙子。用于内衬的沙子应经过水洗，应有从细到粗的清晰的粒度分布，用国际标准筛绘出的沙子粒度曲线应满足如下要求：

1）细颗粒部分（即通过网眼为 0.125mm 筛子）应不超过其重量的 10%。

2）最大直径等于内衬公称厚度 1/3 的大颗粒部分应不小于其重量的 50%。

3）粗颗粒部分（即近似内衬公称厚度 1/2 且不能通过网眼）应不超过其重量的 5%。

（3）水。制备砂浆所用的水应为生活饮用水。

水泥砂浆的配比(质量比)应为:水泥: 沙子 = 1: 1.5 ~ 3.0;水泥: 水 = 1: 0.4。

1.4.2 水泥砂浆内衬的涂覆

1.4.2.1 涂覆方法

对于直管，水泥砂浆内衬全部采用离心方法进行涂覆。铸管一边在离心机上旋转，一边将一定数量的水泥砂浆注入管内，然后再加速到高速旋转，水泥砂浆就与管内表面充分密实，形成一层厚度均匀的内衬。

对于异形管，水泥砂浆内衬一般采用喷涂或手工涂抹。喷涂是将水泥砂浆通过高速旋转喷头喷涂到管内表面，或者用砂浆喷枪通过压缩空气将水泥砂浆喷涂到管内表面，形成一定厚度的内衬。

水泥砂浆内衬厚度按照国际标准和各国标准的不同有不同的规定。一般情况下，内衬厚度适当大一些对增强管体强度有益，但同时应保证铸管的内径符合标准规定。表 1-16 为 ISO 4179—2005 规定的内衬厚度。

表 1-16　球墨铸铁管水泥砂浆内衬厚度（ISO 4179—2005）

公称直径 /mm	内衬厚度/mm		单位长度近似重量 /kg·m⁻¹
	公称厚度	局部最小厚度	
40			0.8
50			1
60			1.3
65			1.4
80			1.7
100	3	2	2.1
125			2.7
150			3.2
200			4.2
250			5.2
300			6.3
350			12.3
400			14
450	5	3	15.4
500			17.5
600			20.9
700			29.3
800			33.4
900			37.6
1000	6	3.5	41.7
1100			45.4
1200			50

公称直径 /mm	内衬厚度/mm		单位长度近似重量 /kg·m⁻¹
	公称厚度	局部最小厚度	
1400			87.6
1500			92.7
1600	9	6.0	100.1
1800			112.5
2000			125
2200			183.5
2400	12	7.0	200
2600			216.6

1.4.2.2 内衬的养生

涂覆了水泥砂浆内衬的铸管需要进行蒸汽养护,养护所需的温度为 35~55℃,时间需要 8h 以上。

1.4.2.3 密封涂层

密封涂层有两个作用:一是可以把水泥砂浆的水合作用所需要的水分密封起来,促进水泥砂浆的水合反应,达到进行均匀的养护而使质量稳定;二是阻止水泥砂浆中碱质成分的析出,在延长内衬寿命的同时防止通水初期 pH 值的升高。

密封涂层使用的材料应是无毒的,不会对水质产生任何有害的影响,常用的密封涂层材料有无毒沥青、环氧树脂、聚氯乙烯和聚丙烯等。

1.4.3 水泥砂浆内衬的性能

1.4.3.1 水泥砂浆的基本强度

水泥砂浆的基本强度与水泥和沙子的配比有关。对于同一种标号的水泥和同一种粒度的沙子,在一定范围内随着沙子配比的增加,水泥砂浆的强度减小。对于水泥砂浆的强度,除 EN 545 有规定外,ISO 2531 和其他国家标准均没有规定,GB/T 13295—2003 参照

EN 545 规定水泥砂浆所使用的水泥 28 天抗压强度应大于等于 50MPa。

1.4.3.2 水泥砂浆内衬的密着性和耐真空性

水泥砂浆内衬在实际使用时应具有充分的密着力。水泥砂浆与球墨铸铁管的密着力为 2MPa，是水泥砂浆与钢管密着力的 4 倍。

水泥砂浆内衬的耐真空性也是很优越的。即使选择密合程度较差的球墨铸铁管，在管内真空达到 72% 时，也未出现内衬剥落或其他异常情况。

1.4.3.3 水泥砂浆内衬的挠曲安全性

试验结果表明，在集中负荷的作用下，当垂直挠度超过管径的 3% 时，内衬才产生有害的裂纹。

埋于地下的铸管，其所承受的负荷不是集中的，而是分散的，所以更不容易造成水泥砂浆内衬产生有害的裂纹。

由此可见，水泥砂浆内衬管的容许挠度规定为管径的 3% 已足够安全。因此，可以不必担心水泥砂浆内衬会产生脱落的问题。

此外，对水泥砂浆内衬裂纹的自愈合试验结果表明，即使裂纹宽度达到 0.4mm，在通水后 6 个月即可自愈合。试验结果如表 1-17 所示。

表 1-17 水泥砂浆内衬裂纹的自愈合试验结果

裂纹宽度 /mm	流水状态			静水状态		
	3 个月后	6 个月后	1 年后	3 个月后	6 个月后	1 年后
0.25	○	○	○	○	○	○
0.40	△	○	○	○	○	△
0.80	×	×	×	△	△	△
1.5	×	×	×	△	△	△

注：○—几乎自愈合；△—部分自愈合；×—没有自愈合。

1.4.3.4 水泥砂浆内衬的耐振性和耐冲击性

振动试验如图 1-11 所示。将 DN500mm 内衬管的插口端提高

60mm，并在冲击平台上做反复落下试验，经 5000 次的振动冲击，不产生有害裂纹和剥落等情况。

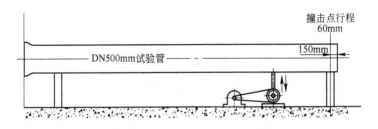

图 1-11　DN500mm 内衬管振动冲击试验

落下冲击试验如图 1-12 所示。在 DN500mm 内衬管的一端上面，用重约 22.7kg（50 磅）铁锤，从 150mm 高开始落下，以后每次增加 50mm 高度做一次落下冲击，直到落下高度约为 500～750mm 时，内衬表面仅产生微裂纹。

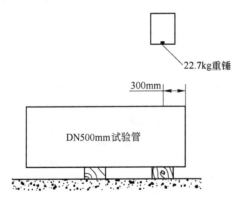

图 1-12　DN500mm 内衬管重锤冲击试验

从上述试验结果得知，只要不是过分地受冲击，内衬是不会有损伤的。

1.4.3.5　水泥砂浆内衬和各种涂料的耐腐蚀性

采用的试验方法如图 1-13 所示。将各种防腐蚀材料涂于 400mm × 400mm × 30mm 的铸铁片上，并把这些试片放置在聚氯

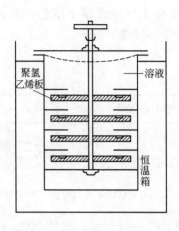

图 1-13 防腐蚀材料的耐腐蚀试验

乙烯板上，然后浸入溶液中并加以旋转。试验材料和试样制备方法如表 1-18 所示。试验结果如表 1-19 和表 1-20 所示。

表 1-18 试验材料和试样制备方法

材 料 名 称	涂 刷 方 法	厚 度/mm
煤焦油涂料	热涂 1 次	0.03
常温型沥青涂料	用刷子冷涂 1 次	0.1
聚氯乙烯涂料	用刷子冷涂 2 次	0.05
环氧焦油涂料	用刷子冷涂 2 次	0.3
水泥砂浆内衬	手工涂，50℃×6h 蒸汽养护	3.0
有 0.4mm 裂纹的水泥砂浆内衬	手工涂，50℃×6h 蒸汽养护	3.0

表 1-19 浸入自来水中试验结果

材 料 名 称	浸入时间/月								
	1	2	3	4	5	6	8	10	12
煤焦油涂料	●	●	●	○	○	○	○	○	○
常温型沥青涂料	●	●	●	○	○	○	○	○	○

材 料 名 称	浸入时间/月								
	1	2	3	4	5	6	8	10	12
聚氯乙烯涂料	●	●	●	●	●	○	○	○	○
环氧焦油涂料	●	●	●	●	●	●	●	●	●
水泥砂浆内衬	●	●	●	●	●	●	●	●	●
有 0.4mm 裂纹的水泥砂浆内衬	●	●	●	●	●	●	●	●	●

注：●—无变化；○——部分起泡。

表 1-20　浸入海水中试验结果

材 料 名 称	浸入时间/月								
	1	2	3	4	5	6	8	10	12
煤焦油涂料	●	○	○	△	×	×	×	×	×
常温型沥青涂料	●	○	○	△	×	×	×	×	×
聚氯乙烯涂料	●	●	○	○	△	△	×	×	×
环氧焦油涂料	●	●	●	●	●	●	○	○	○
水泥砂浆内衬	●	●	●	●	●	●	●	●	●
有 0.4mm 裂纹的水泥砂浆内衬	●	●	●	●	●	●	●	●	●

注：●—无变化；○——部分起泡；△—大部分起泡；×—涂料部分剥落。

由试验结果可见，水泥砂浆内衬具有最良好的防腐蚀效果。即使有 0.4mm 的裂纹，也丝毫不会影响防腐蚀效果。这是因为水泥砂浆中的钙离子使腐蚀性的水碱化，时间越长，水泥本身的愈合作用使裂纹缩小，而最终自行封闭。

1.4.3.6　水泥砂浆内衬的耐海水性

用于输送海水的铸管，其内衬必须能经得住下列各种考验：

（1）能经受住比淡水腐蚀性更强的海水的严重腐蚀作用。

（2）能经受住寄生在海水中的细菌侵蚀。

（3）能经受住由于海水中微生物的附着和繁殖而使内衬遭到极严重损坏的考验。

试验结果显示，水泥砂浆内衬与其他防腐涂层相比，微生物的附着量较少，并且容易被清除。而且即使有少量的微生物附着，也不会因微生物的侵蚀而引起内衬的剥落和损伤。这是因为水泥砂浆内衬表面较硬，不易受微生物侵蚀。

1.4.3.7 水泥砂浆内衬的耐热性

水泥砂浆内衬的热性能如表 1-21 所示。

表 1-21　水泥砂浆内衬的热性能

线（热）膨胀系数	$(1.1 \sim 1.8) \times 10^{-5}$
热导率	$0.85\text{kcal}/(\text{m} \cdot \text{h} \cdot \text{℃})$
比　热	0.25kcal/kg（$1\text{kcal} = 4.1868\text{kJ}$）

阳光直接照射的影响：水泥砂浆内衬管放置在室外，直接受到阳光的照射，由于水泥砂浆的比热比球墨铸铁管小得多，因此铸管外面上升的温度和水泥砂浆内衬上升的温度就不同，由于两者膨胀量的差别就会造成水泥砂浆内衬变形，这一点必须加以注意。图 1-14 所示为实际测定结果，将该结果和表 1-22 的水泥砂浆抗拉破坏变形做比较，其安全率约为 2 倍，所以一般情况下可以认为没有问题。

表 1-22　用离心方法制成的水泥砂浆试样的抗拉强度和破坏变形

试样编号	抗拉强度/MPa	变形/%
1	6.7	0.0204
2	6.5	0.0248

气割的影响：当气割火焰直接烧在内衬部分时，宽约 15 ~ 20mm 的内衬会失去结晶水而产生裂纹，其余受热影响的部分不发生变化，内衬完好。当用气割切断时，因为火焰不是通过内衬层，只是接触火焰部分的内衬发生崩坏，所以不会导致周围产生

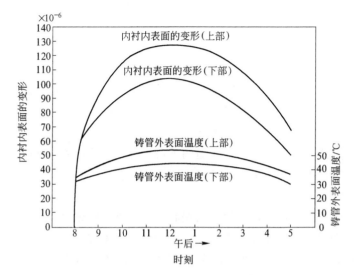

图 1-14 DN250mm 铸管水泥砂浆内衬温度变化曲线

裂纹。

1.5 球墨铸铁管的防腐

1.5.1 内表面特殊防腐涂层

用于输送水、污水或燃气的球墨铸铁管,根据用户的要求对其内表面还可以进行不同的防腐蚀处理:

(1) 水泥砂浆内衬 + 特殊涂层。

这种内防腐措施适用于输送污水的管道,可以提高内衬的抗腐蚀能力。工艺上要求水泥砂浆内衬必须经过打磨、吹扫干净后,才可喷涂特殊涂层,如沥青漆、环氧树脂等。

(2) 沥青漆涂层。

用于输送燃气的管道需要喷涂沥青漆。喷涂前对管子进行预热可以提高沥青漆的附着力,加速干燥。

(3) 环氧煤沥青涂层。

环氧煤沥青涂层既适用于燃气管道,也适用于污水管道。它是一种双组分涂层，该涂层具有较高的附着力和非常光滑的表面。

（4）环氧陶瓷内衬。

环氧陶瓷内衬适用于污水管道和燃气管道，但由于其制造工艺难度大，成本高，所以在使用上受到一定的限制。环氧陶瓷内衬具有很高的附着力和光洁度，是一种极好的防腐蚀涂层。

（5）铝酸盐水泥涂层和硫酸盐水泥涂层。

这两种特殊水泥涂层均适用于污水管道用球墨铸铁管的内防腐，提高抵抗污水中酸碱成分的侵蚀能力。

（6）聚氨酯涂层。

聚氨酯涂层是近几年新发展起来的一种特殊涂层，是一种高档次的涂层。它使球墨铸铁管在具有了铁和钢的优点的基础上，又具有了 PE 管的优点。它抗腐蚀能力强、输送水质好，但由于制造工艺要求高，成本相对较高，因此产品价格也较高。

1.5.2　外表面防腐涂层

球墨铸铁管的外表面防腐蚀涂层一般采用喷锌加喷涂沥青漆或环氧树脂漆，金属锌喷涂的厚度应不小于 $130g/m^2$，金属锌的含锌量至少为 99.95%。管件也可以采用涂刷富锌漆，富锌漆刷涂的厚度（干燥后）应不小于 $150g/m^2$。富锌漆的含锌量至少为 85%。最终防腐层漆的厚度要求不小于 $70\mu m$，某一点最小厚度不小于 $50\mu m$。这些涂层应符合有关国家的标准。

近几年来，随着技术的进步，随着人们对资源的充分利用和节约的重视，为了提高球墨铸铁管的使用寿命和对特殊环境的适应性，又提出了多种外防腐措施：

（1）加厚金属锌。将喷锌厚度由 $130g/m^2$ 提高到 $200g/m^2$，对一些电阻率较低的土壤可以起到很好的保护作用。

（2）聚乙烯(PE)套。在一些具有较强腐蚀性的土壤环境中，在球墨铸铁管的安装过程中，在其外层增加一层聚乙烯套，将球墨铸铁管与土壤隔绝，从而起到抗腐蚀的作用。

（3）聚氨酯涂层。这是一种适用于重防腐的特殊涂层，同样因为制造工艺难度大，造价较高。

（4）喷涂锌铝合金。使用含锌85%、含铝15%的合金丝代替纯锌丝，喷涂厚度为$400g/m^2$，再加上最终涂层沥青漆或树脂漆，就可以起到聚乙烯套的防腐作用。

关于球墨铸铁管外防腐层的选择，需要通过对埋设管道的土壤性能进行测试后，按照表1-23提供的评分方法进行评分，再根据所评出的总分值来确定是否需要选用特殊的外防腐层。当所评分值超过10分时，应考虑选用聚乙烯套或聚氨酯；当所评分值不超过10分时，可以在其他防腐层中进行选择。

表1-23　土壤性能测试值与分值

土　壤　性　能	测　量　值	分　值
电阻率（根据在管道埋设深度处使用单头探测器探测结果；或使用饱和土壤箱测试结果）	$<700\Omega\cdot cm$	10
	$700\sim1000\Omega\cdot cm$	8
	$1000\sim1200\Omega\cdot cm$	5
	$1200\sim1500\Omega\cdot cm$	2
	$1500\sim2000\Omega\cdot cm$	1
	$>2000\Omega\cdot cm$	0
pH 值	$0\sim2$	5
	$2\sim4$	3
	$4\sim8.5$	0
	>8.5	3
氧化还原电位	$>100mV$	0
	$50\sim100mV$	3.5
	$0\sim50mV$	4
	$<0mV$	5
水　分	排水不好，经常潮湿	2
	排水较好，一般潮湿	1
	排水好，一般干燥	0

土 壤 性 能	测 量 值	分 值
	（＋）	3.5①
硫化物含量	痕 量	2
	（－）	0

① 如果存在硫化物，并且所获得的氧化还原电位较低或为负值，那么，应加3
分。

如果管道铺设于地面上，表面防腐层应采用环氧树脂，并且
再加上40μm厚的加铝色剂的沥青漆。

对于安装在水处理设备和泵站的内部或直接安装在外部的管
道，可以按照如表1-24所示的说明来进行喷涂。在这种情况下，
管道可以通过颜色来区分，使用不同颜色的合成树脂漆喷涂到管
道表面。

表 1-24 泵站内管道防腐层说明

喷涂工艺	涂 料	涂层厚度/μm	喷涂地点
第一遍	铅型防腐漆	35	工 厂
第二遍	铅型防腐漆	30	工 厂
第三遍	合成树脂漆	25	施工现场
第四遍	合成树脂漆	25	施工现场

对于安装在水下面的管道，其外表面可以按照如表1-25所
示的工艺来处理。在这种情况下，管道也可以通过颜色来区分。

表 1-25 水下管道防腐层说明

喷涂工艺	涂 料	涂层厚度/μm	喷涂地点
第一遍	锌 层	20	工 厂
第二遍	环氧树脂漆	50	工 厂
第三遍	环氧树脂漆（M.L.O）	50	工 厂
第四遍	合成树脂漆	40	施工现场

注：M.L.O表示云母状（闪光）氧化铁。

2 球墨铸铁管的接口形式

2.1 接口种类

铸铁管接口种类繁多，目前常用的接口有滑入式（T 型）柔性接口、机械式（K 型）柔性接口、机械式（N_ΙΙ 型、S_ΙΙ 型）柔性接口、法兰型接口和特殊接口等几种形式。

2.1.1 滑入式（T 型）柔性接口

滑入式（T 型）柔性接口如图 2-1 所示。这种接口目前广泛应用于 DN1000mm 以下的球墨铸铁管，具有结构简单，安装方便，密封性较好等特点。在承口结构上考虑了橡胶圈的定位和偏转角问题，因此这种接口能适应一定的基础变形，具有一定的抗振能力，同时利用其偏转角实现管线长距离的转向。T 型接口的缺点在于防止管道滑脱的能力较低，因为接口不能承受轴向力，因此在管线的拐弯处要设置抵抗轴向力的基墩。

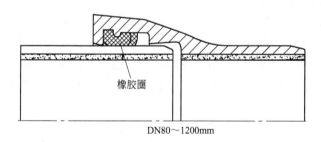

橡胶圈

DN80～1200mm

图 2-1 滑入式（T 型）接口（TYT 型）

T 型接口是利用橡胶圈的自密封作用来保持水密性的，如图 2-2 所示。所谓自密封作用，就是橡胶圈受到流体压力

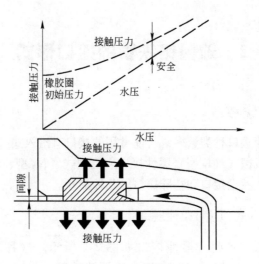

图 2-2　接口橡胶密封

作用时，橡胶圈上实际形成的接触压力等于安装时预先压缩所产生的接触压力与流体压力作用在橡胶圈上新增接触压力之和。由于接触压力比流体压力大，所以接口具有良好的密封作用。由于 T 型接口是靠橡胶圈与承口、插口接触压力产生对流体的密封，因此对承口和插口及胶圈的尺寸偏差做出了严格的规定，以保证密封可靠。一般在承插口内胶圈的压缩比要达到 25% ~ 40% 。

　　T 型接口习惯分为滑入式 TYT 型和滑入式 STD 型两种。我国通常把 DN1200mm 以下的铸管采取滑入式 TYT 型接口（图 2-1），DN1400mm 以上的铸管采用滑入式 STD 型接口（图2-3）。两种产品

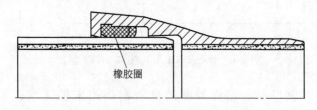

图 2-3　滑入式（T 型）接口（STD 型）

的承口尺寸不同。

2.1.2 机械式(K型)柔性接口

机械式（K型）柔性接口多用于 DN1000mm 以上管道。日本早期管道多用这种接口，机械式（K型）柔性接口的标准较为系统，因此我国 K 型接口标准是参照日本标准建立的。K 型接口如图 2-4 所示。

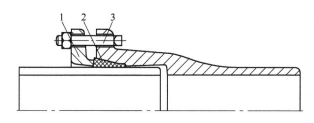

图 2-4　机械式（K型）接口
1—压兰；2—橡胶圈；3—螺栓及螺母

K 型接口管道目前在 DN1000mm 以上的供水管道上使用广泛。由于日本制造的大口径球墨铸铁管长度只有 4m 或 5m，所以设计的承口深度较短。而我国制造的大口径球墨铸铁管长度为 6m 或 8.15m，单位长度上接口的数量减少了，从安装和管道运行的安全性考虑，承口的深度应适当加长。

机械式(K型)柔性接口与滑入式(T型)柔性接口的不同之处在于，前者是靠压兰的作用使胶圈产生接触压力形成密封，而后者是靠承口、插口的尺寸使胶圈压缩产生接触压力形成密封。K型接口除具有结构简单，安装方便，密封性较好等特点外，由于采用压兰、螺栓压紧装置，因此对管道的维护检修很方便，可通过紧固螺栓或拆下压兰更换胶圈的办法来消除管道接口处的渗漏。

2.1.3 机械式(N$_{II}$型、S$_{II}$型)柔性接口

机械式 N$_{II}$ 型、S$_{II}$ 型接口是我国专用于城市燃气管道的接

口，是在原 GB 13295—91 标准的基础上考虑 N_1 型和 S 型插口外径都统一到国际标准而形成的。接口形式如图 2-5 和图 2-6 所示。

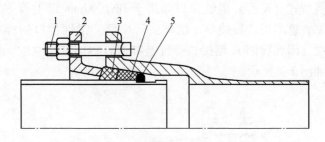

图 2-5　机械式（S_{II} 型）接口
1—螺栓；2—压兰；3—密封圈；4—隔离圈；5—锁环

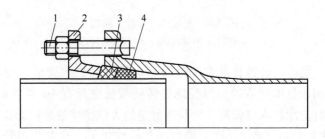

图 2-6　机械式（N_{II} 型）接口
1—螺栓；2—压兰；3—密封圈；4—支撑圈

N_1 型和 S 型接口是我国根据城市燃气使用的特点自行开发而成的。N_1 型接口是依据日本早期 K 型柔性接口设计的，其特点与 K 型一致。S 型柔性接口是在 N_1 型接口的基础上考虑到在软基础地区的使用特点，加大了承口的连接长度和偏转角（最大为 7°），同时还设计了防滑脱装置，即在插口端加工了止退槽，通过止退锁环和止退槽的作用，使 S 型接口具有较好的防滑脱能力。

由于 N_1 型和 S 型接口管子的外径比国际通用的 T 型、K 型铸管外径小 2~3mm，无论对生产厂和使用者都不方便，因此在修订新标准时将 N_I 和 S 型接口管子外径统一到国际标准，称为 N_{II} 型、S_{II} 型接口。新旧 N 型、S 型管道在使用中由于铸管外径仅增大了 2~3mm，原有密封胶圈、支撑圈、隔离圈和止退锁环在维修更换管道时，基本不受影响。

2.1.4 法兰型接口

法兰型接口是传统的刚性接口，不具有柔性的特点，通常只在一些特殊的场所使用，如与泵、阀门、消火栓及穿过基础、墙体时避免管道影响时才使用。法兰型接口如图 2-7 所示。

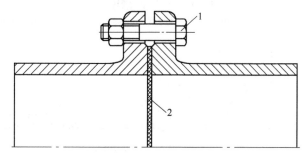

图 2-7 法兰型接口
1—螺栓及螺母；2—橡胶圈

2.1.5 特殊接口

在管道的应用中，根据地域地形的特点，各国都设计了各具特色的接口应用于不同的地域。日本是一个多地震国家，因此防滑脱接口和抗震接口使用较多，如 UF、KF、TF、SW、DBJ 等。西欧国家则使用自锚式柔性接口和螺旋式柔性接口。自锚式接口在管道穿越河流、湖泊或翻山越岭的施工过程中应用较多，可有效地防止管道脱落，同时可以实现一段管道的整体吊装施工。螺旋式接口结合了滑入式接口和机械式接口的特点，结合使用防滑脱胶圈，该接口同时还具有一定的防滑脱能力，这种接口应用于城市燃气管道上优点较多。日本在大型管道的施工和维修上,考虑到开挖的困难,开发了适应于隧道和地下推进施工的内连接承口,如内型接口,以方便施工人员在管内完成管道的连接。

特殊接口形式如图2-8～图2-14所示。

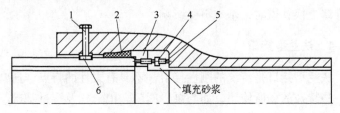

图 2-8　UF 型防滑脱接口

1—固定螺栓;2—橡胶圈;3—法兰圈;4—螺栓;5—连接棒;6—锁环

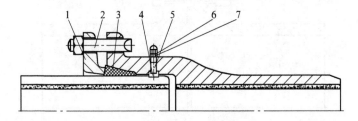

图 2-9　KF 型防滑脱接口

1—压兰;2—螺栓及螺母;3,6—橡胶圈;4—锁环;

5—固定螺栓;7—密封帽

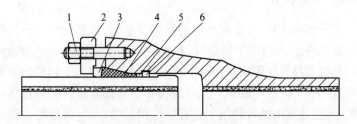

图 2-10　TF 型防滑脱接口

1—螺栓及螺母;2—法兰压盖;3—开口圈;4—橡胶圈;

5—密封圈的保护圈;6—锁环

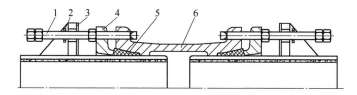

图 2-11　SW 型抗地基变动的特殊接口

1—SOS 螺栓；2—垫圈；3—制动器；4—压兰；5—橡胶圈；6—接口圈

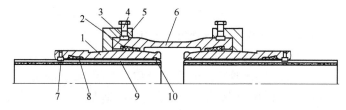

图 2-12　DBJ 大弯曲型抗震接口

1—球形环；2，8—橡胶圈；3—锁环；4—固定螺栓；5—制动器；6—接口圈；

7—销定环；9—直管插口；10—间隔圈（防止弯曲用）

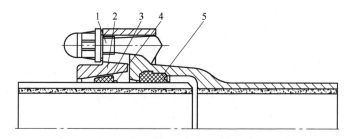

图 2-13　自锚式柔性接口

1—螺栓；2—压兰；3—止推圈；4—止推环（焊接）；5—橡胶圈

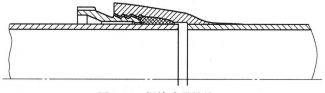

图 2-14　螺旋式柔性接口

2.2 柔性接口的特点

柔性接口是最具有代表性的接口，广泛应用于输送煤气、上水管道、工业用水管道以及其他管道。

柔性接口具有下列特点：

（1）密封性能良好。

由于橡胶圈受到压兰紧压，与铸管承口内表面和插口外表面紧密接合，因而可获得充分的气密性和水密性。K 型接口由于圆形橡胶圈部分的作用，可得到更高的密封性。

（2）具有可挠性。

由于橡胶圈具有弹性，铸管承口和压兰的内表面呈圆锥形，因而获得了可挠性，使管道能很好地适应地基的少许沉降或振动。

（3）良好的伸缩性。

由于温度的变化，所以铸管产生的伸缩能够容易地被其吸收，不需要特殊的伸缩接头。

（4）施工简单迅速。

使用简单的工具（棘轮扳手或螺丝钳）即可进行迅速而安全的装接工作。根据情况也可在水下作业，因气候影响而延迟施工较少。另外，装接完毕后可以直接加回填土，工程进展顺利。

（5）橡胶圈不易老化。

橡胶圈几乎完全被嵌入承口内槽中，露出部分很少，与氧气的接触少，因而老化的危险性小。

（6）能防止电化学腐蚀的影响。

接口的橡胶圈使每根铸管之间互相绝缘，因而电化学腐蚀的影响小。

（7）对于接口脱离必须十分重视。

由于柔性接口构造上的特点，其脱离摩擦力不可能很大。因此，在有拔出力作用的管末端和弯管部分等处必须采取适当的防护措施。

2.3 接口性能的例行试验

2.3.1 接口性能例行试验准备

为了确保在供水区域达到使用目的，接头要符合性能（EN 545、ISO 2531）要求，表2-1所示每组中至少有一种规格要进行例行试验。当同一尺寸范围组合的性能基于同种设计参数时，一种规格可以代表一组。如果某组中的产品设计或制造过程不同，要重新对该组进行分配组合。

表 2-1　例行试验编组表

规格 DN/mm	40 ~ 250	300 ~ 600	700 ~ 1000	1100 ~ 2000	2200 ~ 2600
每组抽取的规格 DN/mm	200	400	800	1600	2400

2.3.1.1　试验压力

所有接头均要进行例行试验，试验条件为最大公差和最不利接头活动的情况。

接头进行下列试验时不得出现明显渗漏：

试验1：正内部水压，试验压力为 $1.5p + 0.5\mathrm{MPa}$，p 为厂方提供的接头允许工作压力；

试验2：负内部气压，在大气压（绝对压力约为 $0.01\mathrm{MPa}$）$0.09\mathrm{MPa}$ 的负内压力下；

试验3：正外部水压为 $0.2\mathrm{MPa}$；

试验4：循环内部水压，在 $0.5p$ 至 $1p$ 之间至少 24000 个压力周期。

2.3.1.2　试验参数

制造公差：所有接头都要进行制造公差极值例行实验，承口密封表面和插口之间的径向间隙等于最大设计值 $^{+0\%}_{-5\%}$。即使实际直径稍微超出标准制造公差，也可对承口内表面进行机械加工使其径向值达到例行试验要求。

管厚度：进行接头例行试验的插口部分（自插口端面起大于 2DN 的距离）的壁厚为平均壁厚，平均壁厚等于规定的与接头连接的管最小壁厚 $^{+10\%}_{-0\%}$，可对试验管插口端进行机械加工至要求的厚度。

垂直力：考虑到管自身的重量、管内物体的重量及受试组装件的几何结构，进行接头例行试验时作用于接头的有效垂直力不小于 50DN，单位为 N。

2.3.1.3 螺栓连接或焊接法兰

为了在严格工作条件下显示螺栓连接或焊接法兰管的强度和密封性，要进行例行实验以证实法兰连接法有效。试验要在内部水压（0.2PN MPa）和外部荷载（如表 2-2 所示，足够引起弯曲）的共同作用下不应有明显渗漏。计算外部负荷时要考虑到由受试组装件重量和水的重量形成的弯矩。

表 2-2 受试组装件弯矩

DN/mm	弯矩 /kN·m	最小距离 x/mm		DN/mm	弯矩 /kN·m	最小距离 x/mm	
		$K9$	$K10$			$K9$	$K10$
40	2.9	132	132	500	251	238	247
50	3.7	135	135	600	348	259	270
60	5.2	139	139	700	463	281	292
65	5.6	140	140	800	584	302	315
80	7.2	145	145	900	724	323	337
100	9.3	150	150	1000	886	343	359
125	11.6	156	156	1100	1060	364	381
150	16.0	161	163	1200	1250	385	403
200	24.0	171	176	1400	1690	427	447
250	34.2	183	188	1500	1900	447	469
300	104	194	201	1600	2190	468	491
350	135	205	212	1800	2500	509	535
400	160	216	224	2000	3080	551	579
450	205	227	235				

2.3.2 接口性能例行试验内容

2.3.2.1 正内压力下接头密封

试验在由两段管的连接处进行，每段管至少长 1m。试验组装件如图 2-15 所示。

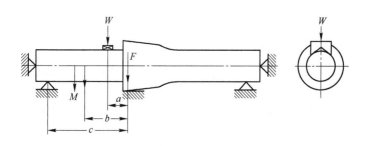

图 2-15 正内压力试验组装件示意图

不管接头处于平直状态、偏转状态还是承受载荷，试验装置均有合适的边界和横向约束。试验装置还应有精确度为 ±3% 的压力传感器。若垂直力 W 通过 120° "V" 形垫块作用于插口端，"V" 形垫块大约位于自承口端起 0.5DN 或 200mm 处，垫块位置取两者最大值。承口应压在水平支架上。垂直力 W 由 F 求出，作用于接头的垂直合力 F 不少于 50DN。考虑管身重量、管内物体及受试组装件的几何结构，则：

$$W = \frac{Fc - M(c - b)}{c - a} \tag{2-1}$$

受试组装件中注满水并易于排气，压力持续升高至接头性能要求中给出的试验压力，压力增长幅度不超过 0.1MPa/s。试验压力在 ±0.05MPa 范围内浮动至少保持 2h，在此期间每 15min 要对接头进行一次全面检查。在压力试验期间要采取一切必要的安全防护措施。对约束接头，除了没有边界约束外，受试组装件、试验装置和试验程序均相同，已约束的接头承受轴向推力。另外，每 15min 测量一次插口轴向活动。

2.3.2.2 负内压力下接头密封（ISO 2531 无此项要求）

受试组装件与试验装置同图 2-15。

受试组装件中无水，并抽出空气至 0.09MPa 的负内压力，然后移走真空泵。受试组装件在真空状态下放置 2h，真空状态的改变不超过 9kPa。试验初始温度为 15～25℃，试验期间温差在 ±2℃。对于约束接头，受试组装件、试验装置和试验程序都相同。

2.3.2.3 正外压力下接头密封

受试组装件由两个焊接在一起的管承口和一个双插口件构成，这样形成一个环形腔，一个接头可以在内压力下进行试验，另一个接头可以在外压力下进行试验。试验组装件如图 2-16 所示。

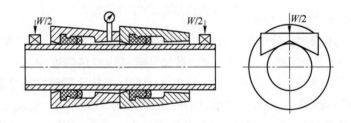

图 2-16 正外压力下试验组装件示意图

受试组装件所受垂直力 W 等于式 2-1 中所得值，通过 120°"V"形垫块，这个力分为两半分别作用于受试组装件两侧的插口部位。"V"形垫块位置大约在自承口端起 0.5DN 或 200mm 处，取最大值。承口应放在水平支架上。受试组装件中注满水并易于排气，压力持续升至 0.2MPa 的试验压力，试验压力在 ±0.01MPa 范围内浮动保持 2h，在此期间每 15min 全面检查受外部压力作用的接头内壁一次。

2.3.2.4 内部冲击压力下接头密封（ISO 2531 无此项要求）

受试组装件及试验装置同图 2-15。

受试组装件中应注满水并易于排气。压力持续升至接头允许工作压力 $1p$，然后根据下列压力循环进行自动监测：

（1）持续下降至 $0.5p$；

（2）$0.5p$ 压力下至少保持 5s；

（3）压力持续上升至 $1p$；

（4）$1p$ 压力下至少保持 5s。

在压力试验期间采取一切必要的安全防护措施。记录循环次数，如果接头漏水应自动终止试验。对于约束接头，除了没有边界约束，已约束接头要承受的轴向推力外，受试组装件、试验装置和试验程序都一样。

2.3.2.5 螺栓连接法兰及焊接法兰的密封与机械抗力

受试组装件为两支用法兰接头连接的大约等长的法兰管，受试组装件两端装有盲板。

例行实验中在长度大于 x 距离(从受试接头每个法兰连接面起)处的管壁厚(mm)等于该壁厚级别规定的最小壁厚 $e_{min} {}^{+10\%}_{-0\%}$。

x 可由下式计算：

$$x = 100 + 2.3(DNe_{min})^{0.5}$$

x 值见表 2-2。

受试组装件安放在两个简单支架上，这样组装的法兰接头处于中点位置。支架间距最少为 6DN（单位为 mm）或 4m，取最小值。受试组装件中注满水并易于排气。压力持续升至给定的试验压力。外部负荷通过一平板作用于组装好的法兰接头，方向与受试组装件轴心垂直，形成表 2-2 中所示弯矩。

内部压力和外部负荷保持 15min，在此期间对法兰接头进行全面检查。在压力试验期间采取一切必要的安全防护措施。

本试验中的高压与弯矩造成负荷比正常使用中的负荷大得多，因此这个试验比正常使用时需要更多的密封垫和螺栓，螺栓力矩比现场安装时使用的要大。

2.4 接口配件

2.4.1 压兰

压兰的作用如下：

（1）将橡胶圈压入规定的位置，应使橡胶承受正常的应力。

（2）施加拉拔力时应防止拔脱。

对压兰的要求如下：

（1）施加拉拔力应具有耐机械的强度。特别对压兰全周施加均匀力时没有限制，因此稍微变形，能缓和应力。

（2）直接接触橡胶，应不损伤橡胶。

2.4.2 螺栓及螺母

机械接口用的螺栓、螺母从强度、耐腐蚀性等方面出发，一般是使用球墨铸铁件。在特殊的腐蚀性强的地区铺设的管道，其螺栓、螺母有选择地发生异常腐蚀是有先例的。这是由于管体以及压兰和螺栓、螺母形成局部电池而出现侵蚀现象。作为防止措施，美国标准中规定，作为机械接口用的螺栓、螺母，采用含 0.5% 铜的铸铁螺栓或含有 0.25% 镍、0.2% 铜、1.25%（铜＋镍＋铬）的如同高拉力钢螺栓的低合金铸铁。在久保田铁工株式会社，为了防止这种局部电池的形成，在进行了丝扣的机械加工后，实行加热氧化处理，生产和供应再生黑皮的螺栓、螺母，以减小极端腐蚀的危险性。

在管道施工现场，安装使用之前用溶剂溶掉螺栓、螺母的外部涂层或用火烧去涂层的方法，会促进螺栓、螺母的腐蚀，必须严格禁止。另外，在螺栓、螺母安装完毕后，用焦油系涂料涂刷螺栓，也有防腐效果。

2.4.3 橡胶圈

2.4.3.1 橡胶圈的密封性

在铸铁管中，橡胶圈是装在承口、插口之间使间隙封闭起密封作用的。这是一种属于静密封结构的密封件。橡胶圈在铸铁管中主要受径向和轴向压缩，铸铁管柔性接口的密封就是靠被压缩的橡胶圈的高弹性来达到的。影响结构密封性的因素除了与橡胶圈的使用条件、密封结构的类型、被密封表面的形状、管道内水的压力有关以外，还与决定橡胶圈工作寿命的因素有关。

橡胶圈的密封性能主要取决于橡胶压缩变形时所产生的压缩应力（即接触压力）的大小，压缩应力越大则密封性能越好。但橡胶是一种高分子材料，具有黏弹性，所以其应力值会随时间的延长而逐渐衰退，直至小到丧失密封性能（这段延长的时间即是使用寿命）。这种应力由大到小的现象就是应力松弛现象。

密封性与应力松弛特性：橡胶圈要与铸造接头粗糙的密封面吻合，为保持气密性，必须使其具有适当的硬度与承受夹紧时的耐压的能力，更重要的是橡胶圈应与铸管有同样寿命，能抗流体内压并密封，同时具有能适应地基变动时接头变位的弹性。机械接头的橡胶圈其应力松弛特别小，必须使其能在所期望的期间内保持气密性。应力松弛的增加率随着时间的延长而变小，可以推测，即使经过数十年后还能得到充分的水密性和气密性。压缩永久变形与应力松弛有密切关系，也是表示橡胶材料特性的指标之一。压缩永久变形的测定较简单，结果的再现性好，所以受到重视。在日本工业标准 JIS 中规定，经 70℃、22h 促进老化试验以后，压缩永久变形率应在 30% 以下，但现今的产品大多在 10% 左右。

2.4.3.2　橡胶圈的材质

用于制造橡胶圈所用材料有丁腈橡胶和硅橡胶等，且材料中不得含有对输送燃气和管材及橡胶圈性能有害的物质。具体材料根据设计要求由制造厂任选。

橡胶种类很多，有天然橡胶（NR）、苯乙烯—丁二烯合成橡胶（SBR）、丁腈橡胶（NBR）、氯丁橡胶（CR）、氟化橡胶（FPM）等，但用于水道的橡胶一般为天然橡胶（NR）和苯乙烯—丁二烯合成橡胶两种。各种橡胶材质的特性如表 2-3 所示。

表 2-3　各种橡胶材质的特性

橡胶材质		天然橡胶	丁腈橡胶	氯丁橡胶	丁基橡胶	苯乙烯橡胶	硅橡胶	氯磺化聚乙烯橡胶	氟化橡胶
硫化橡胶	硬度（JIS）	20 ~ 100	20 ~ 100	20 ~ 90	15 ~ 75	35 ~ 100	30 ~ 90	50 ~ 85	60 ~ 85
	抗拉强度/MPa	25 ~ 32	18 ~ 25	18 ~ 25	17 ~ 21	18 ~ 21	4.0 ~ 6.5	21	15 ~ 20
	伸长率/%	550 ~ 960	500 ~ 600	500 ~ 600	650 ~ 850	500 ~ 600	100 ~ 300	500	200 ~ 250
耐热性/℃		+100	+135	+135	+150	+120	+250	+150	+250
安全温度/℃		+50	+80	+70	+70	+70	+200	+100	+200
耐寒性/℃		-70	-60	-65	-65	-65	-8	-40	-45
耐磨损性		优	良	优	优	良	可	良	优
耐压缩性		优	优	优	良	优	优	良	优
耐弯曲性		良	良	优	优	良	可	优	优
耐气候性		可	可	优	优	可	优	优	优
耐拉伸性		优	良	良	优	良	可	良	良
耐臭氧性		可	良	良	优	可	优	优	优
耐气体渗透性		良	优	优	优	良	可	优	优
密度/g·cm⁻³		0.98	1.00	1.23	0.92	0.93	0.95	1.12	1.85

天然橡胶是具有代表性的橡胶弹性体，具备一切橡胶的特性，即：

（1）只要进行适当的配料和硫化处理，在抗拉强度、伸长率和永久变形等方面即可得到优良的性质。

（2）耐气候性不太良好，但埋设在地下时其耐久性良好。

（3）耐老化性一般也不太良好，但利用配比的调整可以使其有相当的改善。

（4）耐油性能不太良好，特别是对矿物油更差，但对水溶性物质和无机质等具有优良的抵抗力。

（5）耐寒性良好，而耐热性不大好。

苯乙烯—丁二烯合成橡胶是大体上继承了天然橡胶的性质，但对天然橡胶的缺点如耐气候性、耐老化性有所改善的合成橡胶的一种，即：

（1）经过硫化处理的橡胶弹性体的力学性能相当优良，耐气候性、耐老化性均比天然橡胶好。

（2）耐油性比天然橡胶稍好些，但达不到过高的要求。

（3）耐寒性良好，耐热性也比天然橡胶好。

2.4.3.3 橡胶圈的力学性能

输送燃气用橡胶圈的力学性能要求按表 2-4 和表 2-5 的规定执行，供水用橡胶圈的力学性能要求按表 2-6 和表 2-7 的规定执行。

表 2-4 燃气管道橡胶密封圈性能

性　　　能		要　　　求				
硬度（邵氏 A 型）		50	60	70	80	88
硬度允许偏差		±5			±4	±3
扯断强度/MPa ≥		10	11			
扯断伸长率/% ≥		400	350	250	150	100
压缩永久变形/%	在标准实验室温下，70h	10		15		
	在 70℃下，22h	20				
	在 −5℃下，70h	30		40		
老化：在 70℃空气中老化 7 天后对未老化值的变化	硬度 ≤	±6				
	扯断强度/MPa	15				
	扯断伸长率/%	−25 ～ +10			−30 ～ +10	−40 ～ +10
压缩应力松弛/%（在标准实验温度下 7 天后）		15				

性　　能		要　　求			
液体 B 浸渍：在标准实验室温度下 7 天后	体积变化/%	+30			
	硬度变化 ≤	− 16	− 15	− 14	− 12
液体 B 浸泡和接着在 70℃空气中干燥 4 天后的体积变化/%		− 15	− 12	− 10	

表 2-5　燃气管道橡胶密封圈材料的任选要求

性　　能	要　　求
压缩应力松弛/%（在标准实验室温度下 90 天后）　　≤	22
低温脆性：试验温度为 − 15℃、− 25℃ 或 −40℃，随密封圈的使用或输送条件而定	没有试样破坏

表 2-6　供水、排水密封圈天然橡胶材料的要求

性　　能		要　　求					
硬度（邵氏 A 型）		40	50	60	70	80	88
硬度允许偏差		±5				±4	±3
扯断强度/MPa ≥		14		13	11	10	9
扯断伸长率/% ≥		400		350	200	125	100
压缩永久变形/%	在标准实验室温下, 70h	12			15		
	在 70℃下, 22h	25					
老化：在 70℃ 空气中老化 7 天后对未老化值的变化 ≤	硬度	− 5 ~ +8					±5
	扯断强度/MPa	− 20					
	扯断伸长率/%	− 30 ~ +10				− 40 ~ +10	− 40 ~ +10
水浸体积变化/%（在 70℃ 下，在蒸馏水或除去离子的水中浸 7 天后）		0 ~ +8					
压缩应力松弛/%（在标准实验室温度下压缩 7 天后）		16				18	
脆性温度/℃		− 25					

表 2-7　供水、排水密封圈合成橡胶、并用胶材料的要求

性　　能		要　　　　求					
硬度（邵氏 A 型）		40	50	60	70	80	88
硬度允许偏差		±5				±4	±3
扯断强度/MPa　　≥		9			10		
扯断伸长率/%　　≥		350	300	250	200	150	100
压缩永久变形/% （在 70℃下，72h 后）		40					
老 化：在 70℃ 空气中老化 7 天后对未老化值的变化	硬　度	−5 ~ +8					
	扯断强度/MPa	−20					
	扯断伸长率/%	−30 ~ +10				−40 ~ 10	
水浸体积变化/% （在 70℃下，在蒸馏水或除去离子的水中浸 7 天后）		0 ~ +8					
压缩应力松弛/% （在标准实验室温度下压缩 7 天后）		25					
脆性温度/℃		−25					

（表中 ≤ 符号位于左侧跨多行）

对于成品橡胶密封圈的一般要求为无气泡和影响使用性能的表面缺陷，胶边应保持在合理的最小强度。

2.4.3.4　防止橡胶老化和橡胶圈保存的注意事项

橡胶老化是指由于物理因素（疲劳）和化学因素（氧、臭氧、紫外线、热、微生物）导致橡胶构造变化，即由于产生分子间的滑动、分子切断、架桥、重合等使抗拉强度、伸长性、硬度等力学性能降低，失去橡胶弹性。因此，橡胶应具有在埋设环境中经过几十年仍能保持一定的力学性能和密封性能。

橡胶如受到紫外线、氧气、臭氧以及高热等的长时期作用，其物理、化学性能就要发生劣化现象。紫外线以及受热引起的老化，都与氧气的存在有很大关系，没有氧气存在时，几乎不产生

老化。因此，在氧气不多的土中和水中，通常意味着老化进行得极为缓慢。

防止橡胶老化，在橡胶配料时使用抗老化剂。这样可以使橡胶的耐老化性有所改善。在保存期间，必须注意避免日光直射以及空气中的氧和臭氧的作用或放置于高温环境下。

2.4.4 支撑圈

支撑圈常用于输送煤气用的 N_{II} 型接口中。

支撑圈应选用高密度聚乙烯材料。

支撑圈的作用如下：

（1）安装时起中心定位作用。

（2）橡胶圈保持一定压缩率的垫圈作用。

（3）防止橡胶圈蠕变。

（4）防止承口、插口上施加了不平衡荷重时产生偏心。

3 球墨铸铁管的质量标准

3.1 球墨铸铁管的公称直径

球墨铸铁管公称直径(mm)可以分为 40、50、60、65、80、100、125、150、200、250、300、350、400、450、500、600、700、800、900、1000、1100、1200、1400、1500、1600、1800、2000、2200、2400、2600 共 30 种。

3.2 球墨铸铁管的标准壁厚

球墨铸铁管的标准壁厚是根据公称直径 DN 的函数来计算:

$$e = K(0.5 + 0.001 \text{DN})$$

式中　e——标准壁厚,mm;

　　　DN——公称直径,mm;

　　　K——壁厚级别系数,取一系列整数…9、10、11、12…。

离心球墨铸铁管最小标准壁厚为 6mm,非离心球墨铸铁管的最小标准壁厚为 7mm。

球墨铸铁管标准壁厚偏差如表 3-1 所示。

表 3-1　球墨铸铁管标准壁厚偏差　　　　　　(mm)

铸件类型	壁厚 e	偏差[①]
离心球墨铸铁管	6	− 1.3
	>6	− (1.3 + 0.001DN)
非离心铸铁管	7	− 2.3
	>7	− (2.3 + 0.001DN)

①仅给负偏差以保证对内压力的足够抗力。

壁厚的测量可以使用下列方法:

(1) 根据铸管的重量推算壁厚;

(2) 直接测量或使用机械的、超声波的工具测量。

3.3 球墨铸铁管的接口尺寸

球墨铸铁管常用的接口有 T 型、K 型、N$_{II}$ 型和 S$_{II}$ 型、法兰型，这几种接口的尺寸如下。

3.3.1 T 型接口尺寸（图 3-1 和表 3-2）

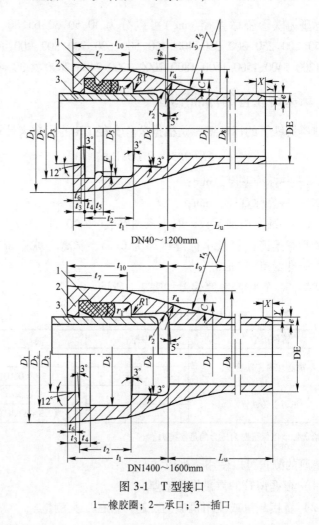

DN40～1200mm

DN1400～1600mm

图 3-1 T 型接口

1—橡胶圈；2—承口；3—插口

表 3-2　T型接口尺寸　　　　　　　　　　（mm）

DN	DE	D_1	D_2	D_3	D_5	D_6
40	56	103	83	60.5	77	63.5
50	66（+1 −2）	113	93	70.5	87	73.5
60	77	123	103	80.5	98	83.5
65	82	128	108	85.5	103	88.5
80	98	140	123	100.5	119.1	103.2
100	118（+1 −2.8）	163	143（±1）	120.5（±1）	138.9（±1）	123.4
125	144	190	169	146.5	164.8	150
150	170（+1 −2.9）	217	195	172.5	190.6	175.3
200	222（+1 −3）	278	250（+1.5 −1）	224.5（+1.5 −1）	245.2（+1.5 −1）	227.8（±2）
250	274（+1 −3.1）	336	301.5	276.5	296.9	279.7
300	326（+1 −3.3）	393	356.5（+1.8 −1）	328.5（+1.8 −1）	351.7（+1.8 −1）	332.1
350	378（+1 −3.4）	448	408	380.5	403.4	383.8
400	429（+1 −3.5）	500	462（+2.1 −1）	431.5（+2.1 −1）	457.2（+2.1 −1）	435.8（±2.5）
450	480（+1 −3.6）	540	514（+2.2 −1）	482.5（+2.2 −1）	509（+2.2 −1）	487
500	532（+1 −3.8）	604	568（+2.4 −1）	534.5（+2.4 −1）	562.6（+2.4 −1）	539.4（±3）
600	635（+1 −4）	713	673.4（+2.7 −1）	637.5（+2.7 −1）	668（+2.7 −1）	642.6
700	738（+1 −4.2）	824	788（+3.5 −1）	740.5（+3.5 −1）	779.3（+3.5 −1）	745.8（±3.5）
800	842（+1 −4.5）	943	894（+3.8 −1）	844.5（+3.8 −1）	885.9（+3.8 −1）	850（±3.8）

DN	DE		D_1	D_2		D_3		D_5		D_6	
900	945	+1 / -4.8	1052	1000	+4.1 / -1	947.5	+4.1 / -1	991.3	+4.1 / -1	953.2	±4.1
1000	1048	+1 / -5	1158	1105	+4.4 / -1	1050.5	+4.4 / -1	1097.1	+4.4 / -1	1056.4	±4.4
1100	1152	+1 / -5.2	1267	1211	+4.7 / -1	1155	+4.7 / -1	1202.5	+4.7 / -1	1160.2	±4.7
1200	1255	+1 / -5.5	1377	1317	+5 / -1	1258	+5 / -1	1308	+5 / -1	1264	±5
1400	1462	+1 / -6	1610	1529	+5.6 / -1	1465	+5.6 / -1	1509	+5.6 / -1	1471	±5.6
1500	1565	+1 / -6	1710	1635	+5 / -1	1570	+5 / -1	1615	+5 / -1	1575	±5
1600	1668	+1 / -6.5	1820	1740	+5 / -1	1673	+5 / -1	1717	+5 / -1	1678	±5

DN	D_7	D_8	C	F	t_1	t_2	t_3	t_4	t_5	t_6
40	82	94	8	3	78	38	12	6	4	8
50	92	104	8	3	78	38	12	6	4	8
60	102	115.7	8	3	80	40	12	6	4	8
65	107	120.7	8	3	80	40	12	6	4	8
80	122	135	8	3.5	85	40	12	6	5	8
100	142	155.7	8.4	3.5	88	40	12	6	5	8
125	170.7	183	8.8	3.5	91	40	12	6	5	8
150	195.6	209	9.1	3.5	94	40	12	6	5	8
200	251	265	9.8	4	100	45	15	7	6	10
250	305	323	10.5	4	105	47	15	7	6	10
300	368.5	384	11.2	4.5	110	50	17	8.5	7	12
350	410.3	433	11.9	4.5	110	50	17	8.5	7	12
400	463	482.4	12.6	5	110	55	19	9.5	8	14
450	518.4	533	13.3	5	120	55	19	9.5	8	15
500	569.7	590.6	14	5.5	120	60	21	11	9	16
600	676.7	698.8	15.4	6	120	65	21	12	10	16
700	789	813	16.8	7	150	80	21	18	12	16
800	892.2	922.3	18.2	8	160	85	21	18	14	16
900	999.2	1030.5	19.6	9	175	90	21	20	16	16
1000	1106	1139	21	9	185	95	22	20	16	16
1100	1213.5	1247.3	22.4	10	200	100	24	23	18	16
1200	1321	1355.6	23.8	10	215	105	25	23	18	17
1400	1535	1584.5	26.6	—	239	115	27	25	—	18

Tolerances:
F: 0 / -0.8 (DN 80～300); 0 / -1 (DN 350～600); 0 / -1.2 (DN 900～1100)
t_4: 0 / -0.5 (DN 200～600)
t_5: 0 / -0.8 (DN 900～1400)

DN	D_7	D_8	C	F		t_1	t_2	t_3	t_4		t_5	t_6
1500	1641.5	1701.6	28	—	—	250	120	29	26		—	19
1600	1748	1814	29	—	—	262	125	30	27		—	20

DN	t_7	t_8	t_9	t_{10}	r_1	r_2	r_4	r_5	X	Y
40	48	2	34	78	3	3	18	50	6	2
50	48	2	35	78	3	3	18	50	6	2
60	48	3	35	80	4	4	23	55	6	2
65	48	3	39	80	4	4	23	55	6	2
80	48	5	39	80	4	5	22	62	6	2
100	48	5	39	88	4	5	17	68	9	3
125	48	5	41	91	4	5	19	61	9	3
150	48	5	43	94	4	5	18.5	74	9	3
200	56	6.2	48	100	4	6	35	70	9	3
250	58	6.8	48	105	4	6	36	72	9	3
300	61	7.2	56	110	6	7	37	74	9	3
350	61	5.1	55	113	6	7	24.5	98	9	3
400	68	5.1	58	116	6	8	26	104	9	3
450	68	6	66	120	6	8	28	105	9	3
500	75	7	63	120	6	10	29	116	9	3
600	80	9.2	62	120	6	10	32	128	9	3
700	90	10.6	77	150	8	10	35	140	15	5
800	96.5	12.4	86.5	160	8	10	38	160	15	5
900	103	14.2	92.5	175	8	10	42	175	15	5
1000	110	16	103	185	8	10	45	200	15	5
1100	116	17	107.5	200	10	12	46.5	207.5	15	5
1200	122	17.8	112	215	10	12	48	215	15	5
1400	125		129	239	10	12	100	205	20	7
1500	149		157.5	250	10	10	380	210	21	7
1600	155		165	262	10	10	380	210	21	7

3.3.2 K 型接口尺寸（图 3-2 和表 3-3）

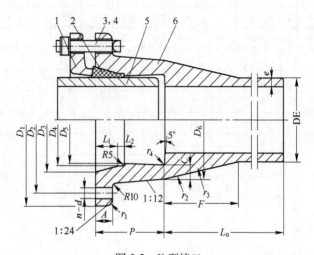

图 3-2 K 型接口

1—压兰；2—橡胶圈；3—螺栓；4—螺母；5—插口；6—承口

表 3-3 K 型接口尺寸 （mm）

DN	DE	D_1	D_2	D_3	D_4		D_5		D_6	A
100	118		234	188	148	130		121		140	19
150	170		288	242	200	182		173		194	20
200	222		341	295	252	234	±1	225	+2	247	20
250	274		395	349	304	286		277	−1	301	21
300	326	+1	455	409	360	342		329		358	22
350	378	−3	508	462	412	394		382		410	23
400	429		561	515	463	445		433	+3	462	23
450	480		614	568	514	496	±1.5	484	−1	515	24
500	532		667	621	566	548		536		568	25
600	635		773	727	669	651		639		675	26
700	738		892	838	780	758		743		781	28
800	842	+1	999	942	884	862	±2	847	+3.5	888	29
900	945	−4	1123	1057	987	965		950	−2	994	31

DN	DE		D_1	D_2	D_3	D_4		D_5		D_6	A
1000	1048	+1 −5	1231	1160	1090	1068		1054		1101	32
1100	1152	+1 −5.2	1338	1272	1194	1172	±2	1158	+3.5 −3	1208	33
1200	1255	+1 −5.5	1444	1378	1297	1275		1261		1314	35
1400	1462	+1 −6	1657	1591	1504	1482		1469	+4 −3	1527	38
1500	1565		1766	1700	1608	1586	±2.5	1573		1634	40
1600	1668	+1 −6.5	1874	1808	1720	1690		1678	+4.5 −3	1740	41
1800	1875	+1 −7	2089	2023	1927	1897		1883	+5 −4	1954	43
2000	2082		2305	2239	2134	2104		2091		2168	46
2200	2288	+1 −7.5	2519	2453	2340	2310	±2.8	2298	+5.5 −4	2381	49
2400	2495		2734	2668	2547	2517		2505		2595	52
2600	2702		2949	2883	2754	2724		2713		2809	55

DN	C	P	F	r_1	r_2	r_3	L_1	L_2	d	n/个
100	8.4	80	50	8	28	100	33	9	23	4
150	9.1	80	53	8	18	110	33	9	23	6
200	9.8	80	57	8	32	115	33	9	23	6
250	10.5	80	60	10	20	125	33	9	23	8
300	11.2	110	68	10	35	135	33	13	23	8
350	11.9	110	72	10	45	145	33	13	23	10
400	12.6	110	75	10	40	150	33	13	23	12
450	13.3	110	78	10	50	150	33	13	23	12
500	14	110	82	10	55	160	33	13	23	14
600	15.4	110	89	10	55	170	33	13	23	14
700	16.8	120	96	10	50	190	43	14	27	16

DN	C	P	F	r_1	r_2	r_3	L_1	L_2	d	n/个
800	18.2	120	103	10	52	208	43	14	27	20
900	19.6	120	110	10	50	225	43	14	33	20
1000	21	130	119	15	50	240	43	15	33	20
1100	22	130	126	15	80	245	43	15	33	24
1200	24	130	133	15	85	250	43	15	33	28
1400	27	130	147	15	70	280	43	15	33	28
1500	28	130	155	15	60	300	43	15	33	28
1600	29	160	163	15	50	354	59	17	33	30
1800	32	170	179	20	60	370	59	17	33	34
2000	35	180	195	20	120	380	59	17	33	36
2200	38	190	210	20	150	390	59	17	33	40
2400	41	200	226	20	170	402	59	17	33	44
2600	43	210	242	20	185	415	59	17	33	48

3.3.3 N_{II}型和 S_{II}型接口尺寸（图 3-3、图 3-4 和表 3-4、表 3-5）

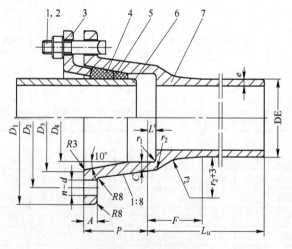

图 3-3 N_{II}型接口

1—螺母；2—螺栓；3—压兰；4—橡胶圈；
5—支撑圈；6—插口；7—承口

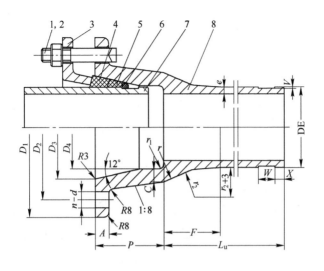

图 3-4 S$_{II}$型接口

1—螺母；2—螺栓；3—压兰；4—橡胶圈；5—隔离圈；

6—锁环；7—插口；8—承口

表 3-4　N$_{II}$型接口尺寸　　　　　　　　　　（mm）

DN	D_1	D_2	D_3		D_4		DE	
100	262	210	152		134		118	+1 −2
150	313	262	204		186		170	+0 −3
200	366	312	256	±1.5	238	±1.5	222	
250	418	366	310		292		274	
300	471	420	362		344		326	+0 −4
350	524	474	414		396		378	
400	578	526	465	±2	447	±2	429	
500	686	632	571		552		532	
600	794	740	674	+3 −1	655	+3 −1	635	+0 −5
700	898	844	777		758		738	

DN	A	C	P	L'	F	r_1	r_2	d	n/个
100	18	12	95	10	75	8			4
150	18	12	100	10	75				
200	18	13	100	11	77				6
250	21	13	100	12	83	10	40	23	
300	21	14	100	13	85				8
350	21	15	100	13	87				10
400	24	15	100	14	89	15			
500	24	16	100	15	97				14
600	26	16	100	16	101	18	60	24	16
700	26	17	110	17	106				

表 3-5　S_II 型接口尺寸　　　　　　　　　　（mm）

DN	D_1	D_2	D_3	D_4	DE	A	C	P
100	262	210	150	122	118	18	18	95
150	313	254	202	174 (+1 -2)	170			
200	366	320	256	228	222 (+0 -4)			
250	418	366	308 (±2)	280	274	21	19	100
300	471	416	362	334 (±2)	326			
350	524	475	415	386	378			
400	578	530	466	437	429	24	20	
500	686	630	571	540	532 (+0 -5)		22	
600	794	740	675 (±2.5)	643 (+2 -3)	635	26		
700	898	854	780	746	738		23	110

DN	F	r_1	r_2	W	X	V	d	n/个
100	75	8		20	10	1.5 +0 −1.2	23	4
150								6
200	77		40					
250	83	10						
300	85			25	15	2.0 +0 −1.2		8
350	87							
400	89	15						12
500	97							
600	101	18	60	25	15	—	24	14
700	106							16

3.3.4 法兰型接口尺寸（图 3-5 和表 3-6 ~ 表 3-9）

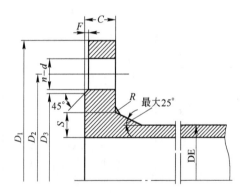

图 3-5 法兰盘

表 3-6 PN10 法兰盘接口尺寸 （mm）

DN	D_1	D_2	D_3	DE	C	F
80	200	160	132	98	19	3
100	220	180	156	118	19	3
150	285	240	211	170	19	3
200	340	295	266	222	20	3

DN	D_1	D_2	D_3	DE	C	F
250	400	350	319	274	22	3
300	455	400	370	326	24.5	4
350	505	460	429	378	24.5	4
400	565	515	480	429	24.5	4
450	615	565	530	480	24.5	4
500	670	620	582	532	26.5	4
600	780	725	682	635	30	5
700	895	840	794	738	32.5	5
800	1015	950	901	842	35	5
900	1115	1050	1001	945	37.5	5
1000	1230	1160	1112	1048	40	5
1100	1340	1270	1218	1152	42.5	5
1200	1455	1380	1328	1255	45	5
1400	1675	1590	1530	1462	46	5
1600	1915	1820	1750	1668	49	5

DN	S	R	螺　栓			重量/kg
			d	规格	n/个	
80	15	6	19	M16	8	2.9
100	15	6	19	M16	8	3.3
150	15	8	23	M20	8	4.9
200	16	8	23	M20	8	6.8
250	17.5	10	23	M20	12	9.6
300	19.5	10	23	M20	12	12.8
350	19.5	10	23	M20	16	14.1
400	19.5	10	28	M24	16	16.3
450	20.5	12	28	M24	20	18.1
500	21	12	28	M24	20	20.8
600	24	12	31	M27	20	30.8
700	23	16	31	M27	24	40.5
800	24.5	16	34	M30	24	54.8
900	26.5	16	34	M30	28	64.3
1000	28	16	37	M33	28	81.4
1100	30	20	37	M33	32	105

DN	S	R	螺　栓			重量/kg
			d	规格	n/个	
1200	31. 5	20	40	M36	32	121
1400	32	20	43	M39	36	148
1600	34. 5	20	49	M45	40	206

表 3-7　PN16 法兰盘接口尺寸　　　　　　　（mm）

DN	D_1	D_2	D_3	DE	C	F
80	200	160	132	98	19	3
100	220	180	156	118	19	3
150	285	240	211	170	19	3
200	340	295	266	222	20	3
250	400	355	319	274	22	3
300	455	410	370	326	24. 5	4
350	520	470	429	378	26. 5	4
400	580	525	480	429	28	4
450	640	585	548	480	30	4
500	715	650	609	532	31. 5	4
600	840	770	720	635	36	5
700	910	840	794	738	39. 5	5
800	1025	950	901	842	43	5
900	1125	1050	1001	945	46. 5	5
1000	1255	1170	1112	1048	50	5
1100	1355	1270	1218	1152	53. 5	5
1200	1485	1390	1328	1255	57	5
1400	1685	1590	1530	1462	60	5
1600	1930	1820	1750	1668	65	5

DN	S	R	螺　栓			重量/kg
			d	规格	n/个	
80	15	6	19	M16	8	2. 9
100	15	6	19	M16	8	3. 3
150	15	8	23	M20	8	4. 9
200	16	8	23	M20	12	6. 6

DN	S	R	螺 栓			重量/kg
			d	规格	n/个	
250	17.5	10	28	M24	12	9.2
300	19.5	10	28	M24	12	12.4
350	21	10	28	M24	16	17.2
400	22.5	10	31	M27	16	21.9
450	24	12	31	M27	20	26.7
500	25	12	34	M30	20	37.0
600	29	12	37	M33	20	57.3
700	27.5	16	37	M33	24	55.6
800	30	16	40	M36	24	74.0
900	32.5	16	40	M36	28	88.2
1000	35	16	43	M39	28	123
1100	37.5	20	43	M39	32	141
1200	40	20	49	M45	32	185
1400	42	20	49	M45	36	216
1600	45.5	20	56	M52	40	308

表 3-8　PN25 法兰盘接口尺寸　　　　　　　（mm）

DN	D_1	D_2	D_3	DE	C	F
80	200	160	132	98	19	3
100	235	190	156	118	19	3
150	300	250	211	170	20	3
200	360	310	274	222	22	3
250	425	370	330	274	24.5	3
300	485	430	389	326	27.5	4
350	555	490	448	378	30	4
400	620	550	503	429	32	4
450	670	600	548	480	34.5	4
500	730	660	609	532	36.5	4
600	845	770	720	635	42	5
700	960	875	820	738	46.5	5

DN	D_1	D_2	D_3	DE	C	F
800	1085	990	928	842	51	5
900	1185	1090	1028	945	55.5	5
1000	1320	1210	1140	1048	60	5
1100	1420	1310	1240	1152	64.5	5
1200	1530	1420	1350	1255	69	5
1400	1755	1640	1560	1462	74	5
1600	1975	1860	1780	1668	81	5

DN	S	R	螺 栓			重量/kg
			d	规格	n/个	
80	15	6	19	M16	8	2.9
100	15	6	23	M20	8	3.8
150	16	8	28	M24	8	5.9
200	17.5	8	28	M24	12	8.7
250	19.5	10	31	M27	12	13.1
300	22	10	31	M27	16	18.0
350	24	10	34	M30	16	25.5
400	25.5	10	37	M33	16	33.2
450	27.5	12	37	M33	20	42.2
500	29	12	37	M33	20	48.7
600	33.5	12	40	M36	20	71.5
700	32.5	16	43	M39	24	90.3
800	35.5	16	49	M45	24	123
900	39	16	49	M45	28	149
1000	42	16	56	M52	28	201
1100	45	20	56	M52	32	224
1200	48.5	20	56	M52	32	285
1400	52	20	62	M56	36	368
1600	56.5	20	62	M56	40	486

表 3-9 **PN40 法兰盘接口尺寸** （mm）

DN	D_1	D_2	D_3	DE	C	F
80	200	160	132	98	19	3
100	235	190	156	118	19	3
150	300	250	211	170	26	3
200	375	320	284	222	30	3
250	450	385	345	274	34.5	3
300	515	450	409	326	39.5	4
350	580	510	465	378	44	4
400	660	585	535	429	48	4
450	685	610	560	480	50	4
500	755	670	615	532	52	4
600	890	795	735	635	58	5

DN	S	R	螺　栓			重量/kg
			d	规格	$n/$个	
80	15	6	19	M16	8	2.9
100	15	6	23	M20	8	3.8
150	18	8	28	M24	8	8.0
200	21	8	31	M27	12	14.0
250	24	10	34	M30	12	23.2
300	27.5	10	34	M30	16	33.5
350	31	10	37	M33	16	46.7
400	35	10	40	M36	16	66.9
450	35	12	40	M36	20	65.5
500	36.5	12	43	M39	20	82.3
600	40.5	12	49	M45	20	124

3.3.5 尺寸允许偏差

T 型接口的承口内径、插口外径的尺寸偏差应符合表 3-2 要求。K 型接口的承口内径、插口外径的尺寸偏差应符合表 3-3 要求。N_{II} 型和 S_{II} 型接口的承口内径、插口外径的尺寸偏差应符合表 3-4 和表 3-5 要求。承口深度偏差 T 型为 ±3mm，K 型、N_{II}

型、S_{II}型为 ±5mm。

法兰厚度偏差为 ±(2 + 0.05A)mm,其中 A 为法兰盘厚度。法兰盘上螺栓孔径允许偏差应符合表 3-10 规定。法兰盘螺栓孔轴心线以管体中心为基准位置的允许偏差应符合表 3-10 规定。

表 3-10　法兰盘螺栓孔径和轴心线允许偏差　　　　　（mm）

DN	螺栓孔径允许偏差	螺栓孔轴心线允许偏差
40 ~ 150	+ 1 - 0	± 1
200 ~ 1500	+ 1.5 - 0	± 1.5
1600 ~ 2600	+ 2 - 0	± 2

3.4　球墨铸铁管的重量

球墨铸铁管在计算重量时,球墨铸铁的密度为 7050kg/m³。订货时按理论重量计算,非定尺长度的铸管按实际长度计算重量,截取性能试样的铸管,其重量仍按标准长度计算。

铸管重量允许偏差如表 3-11 所示。

表 3-11　铸管重量允许偏差

公称直径/mm	标准重量偏差/%
≤200	- 8
>200	- 5

3.5　球墨铸铁管的长度尺寸

根据 ISO 2531—1998（E）标准规定,制造厂设计承插直管的有效长度应符合表 3-12 要求,设计长度与标准长度的偏差为 ±250mm。

法兰管长度（螺栓连接或焊接法兰）如表 3-13,其他长度按供需双方协议执行。

表 3-12 承插直管的标准长度

DN/mm	标准长度/m
40, 50	3
40 ~ 600	4, 5, 5.5, 6, 9
700 ~ 800	4, 5.5, 6, 7, 9
900 ~ 2600	4, 5, 5.5, 6, 7, 8.15, 9

表 3-13 法兰管长度

DN/mm	标准长度/m
40 ~ 600	2, 3, 4, 5, 6
700 ~ 1000	2, 3, 4, 5, 6
1100 ~ 2600	4, 5, 6, 7

承插直管的制造长度偏差为 ±30mm，法兰管制造长度偏差为 ±10mm。

球墨铸铁管应平直，其最大偏差 f_m 不应大于铸管有效长度 L 的 0.125%，即：f_m（mm）≤0.125%L。

3.6 球墨铸铁管内压验收试验

球墨铸铁管的内压验收试验包括水压试验和气密性试验，试验应在内外涂覆前进行。锌层涂覆可在试验前进行。

3.6.1 水压试验

铸管应全数进行水压试验，在最小试验压力下至少保压 10s，最小试验压力应符合表 3-14 的规定。

表 3-14 最小试验压力 （MPa）

DN/mm	离心球墨铸铁管		非离心球墨铸铁管
	$K < 9$	$K \geqslant 9$	所有厚度等级
40 ~ 300	0.05 $(K+1)^2$	5	2.5
350 ~ 600	0.05K^2	4	1.6

DN/mm	离心球墨铸铁管		非离心球墨铸铁管
	$K<9$	$K\geqslant9$	所有厚度等级
700~1000	0.05 $(K-1)^2$	3.2	1.0
1100~2000	0.05 $(K-2)^2$	2.5	1.0
2200~2600	0.05 $(K-3)^2$	1.8	1.0

3.6.2 气密性试验

输气用管应进行气密性试验。试验以空气为介质，试验压力不得小于0.6MPa，目测时间不少于60s。可在铸件外表面均匀地涂抹泡沫剂或把铸件没入水中进行检查。

3.7 球墨铸铁管的材质性能

球墨铸铁管的性能要求如下：

抗拉强度 σ_b $\geqslant$420MPa

伸长率

DN40~1000mm $\geqslant$10%

DN1100~2600mm $\geqslant$7%

DN40~1000mm 壁厚超过 K12 $\geqslant$7%

布氏硬度 $\leqslant$230（HB）

3.8 球墨铸铁管的内外表面防腐处理

为了使铸管具有防腐性能，应对其内外表面进行防腐处理。饮水用球墨铸铁管涂料应不溶于水，不得使水产生异味，涂料中的有害杂质含量应符合饮用水的有关规定。

涂覆前，管内外表面应光洁，不得有铁锈和杂物。

涂覆后，管内外表面应光洁，涂层均匀，粘附牢固，不得因气候冷热而发生异常。

通常铸管内外都有涂层。

铸管的外涂层有以下种类：

（1）外表面喷涂金属锌；

（2）外表面涂刷富锌涂料；

（3）外表面喷涂加厚金属锌层；

（4）聚乙烯管套；

（5）聚氨酯；

（6）聚乙烯；

（7）纤维水泥砂浆；

（8）胶带；

（9）沥青漆；

（10）环氧树脂。

铸管的内衬有以下种类：

（1）普通硅酸盐水泥（有或无渗合剂）砂浆；

（2）高铝（矾土）水泥砂浆；

（3）矿渣水泥砂浆；

（4）带有封面层的水泥砂浆；

（5）聚氨酯；

（6）聚乙烯；

（7）环氧树脂；

（8）沥青漆；

（9）环氧陶瓷。

4 直 管

4.1 T型接口球墨铸铁管（*K9*）（图 4-1 和表 4-1）

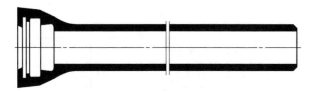

图 4-1 T型接口球墨铸铁管

表 4-1 T型接口球墨铸铁管重量

公称直径 DN/mm	壁厚 *e*/mm	承口凸部近似重量/kg	直部重量 /kg·m⁻¹	总重量/kg 标准工作长度 L_u/m						
				3	4	5	5.5	6	7	8.15	9
40	6	1.8	6.6	22	—	—	—	—	—	—	—
50		2.1	8	26	—	—	—	—	—	—	—
60		2.4	9.4	—	40	50	54	59	—	—	87
65		2.5	10.1	—	43	53	58	63	—	—	93
80		3.4	12.2	—	52	64	71	77	—	—	113
100		4.3	14.9	—	64	79	86	94	—	—	139
125		5.7	18.3	—	79	97	106	116	—	—	171
150		7.1	21.8	—	94	116	127	138	—	—	204
200	6.3	10.3	30.1	—	131	161	176	191	—	—	281
250	6.8	14.2	40.2	—	175	215	235	255	—	—	375

公称直径 DN/mm	壁厚 e/mm	承口凸部近似重量/kg	直部重量 /kg·m⁻¹	总重量/kg 标准工作长度 L_u/m							
				3	4	5	5.5	6	7	8.15	9
300	7.2	18.6	50.8	—	222	273	298	323	—	—	476
350	7.7	23.7	63.2	—	276	340	371	403	—	—	592
400	8.1	29.3	75.5	—	331	407	445	482	—	—	709
450	8.6	38.3	89.7	—	398	487	532	577	—	—	846
500	9	42.8	104.3	—	460	564	616	669	—	—	982
600	9.9	59.3	137.3	—	608	746	814	883	—	—	1295
700	10.8	79.1	173.9	—	775	—	1036	1123	1297	—	1645
800	11.7	102.6	215.2	—	963	—	1286	1394	1609	—	2039
900	12.6	129.9	260.2	—	1171	1431	1561	1691	1951	2251	2471
1000	13.5	161.3	309.3	—	1398	1708	1862	2017	2326	2682	2945
1100	14.4	194.7	362.8	—	1646	2009	2190	2372	2735	3152	3461
1200	15.3	237.7	420.1	—	1918	2338	2548	2758	3178	3662	4018
1400	17.1	385.3	547.2	—	2574	3121	3395	3669	4216	4845	5310
1500	18	474.7	616.7	—	2942	3558	3867	4175	4792	5501	6025
1600	18.9	526	690.3	—	3287	3978	4323	4668	5358	6152	6739

4.2 K 型接口球墨铸铁管(K9)(图 4-2 和表 4-2)

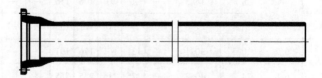

图 4-2 K 型接口球墨铸铁管

表 4-2   K型接口球墨铸铁管重量

公称直径 DN/mm	壁厚 e/mm	承口凸部近似重量/kg	直部重量 /kg·m⁻¹	总重量/kg 标准工作长度 L_u/m						
				4	5	5.5	6	7	8.15	9
100	6	5.9	14.9	66	80	88	95	—	—	140
150		8.4	21.8	96	117	128	139	—	—	205
200	6.3	11	30.1	131	162	177	192	—	—	282
250	6.8	14.1	40.2	175	215	235	255	—	—	376
300	7.2	22.4	50.8	226	276	302	327	—	—	480
350	7.7	27.2	63.2	280	343	375	406	—	—	596
400	8.1	31.5	75.5	334	409	447	485	—	—	711
450	8.6	37.3	89.7	396	486	531	576	—	—	845
500	9	42.8	104.3	460	564	616	667	—	—	982
600	9.9	55.4	137.3	605	742	811	879	—	—	1291
700	10.8	73.9	173.9	770	—	1030	1117	1291	—	1639
800	11.7	90.2	215.2	951	—	1274	1381	1597	—	2027
900	12.6	115.6	260.2	1156	1417	1547	1677	1937	2236	2457
1000	13.5	146.6	309.3	1384	1693	1848	2002	2312	2667	2930
1100	14.4	172.4	362.8	1624	1986	2168	2349	2712	3129	3438
1200	15.3	201	420.1	1881	2302	2512	2722	3142	3625	3982
1400	17.1	265.8	547.2	2455	3002	3275	3549	4096	4725	5191
1500	18	298.8	616.7	2766	3383	3691	3999	4616	5325	5849
1600	18.9	375.4	690.3	3137	3827	4172	4517	5208	6001	6588
1800	20.7	490.6	850.1	3891	4741	5166	5591	6441	7419	8142
2000	22.5	626.4	1026.3	4732	5758	6271	6784	7811	8991	9863
2200	24.3	784.2	1218.3	5657	6875	7484	8094	9312	10713	11749
2400	26.1	966.2	1427.2	6675	8102	8816	9529	10957	12598	13811
2600	27.9	1173.7	1652.4	7783	9435	10261	11088	12741	14641	16045

4.3 N_Ⅱ型和S_Ⅱ型接口球墨铸铁管(K9)(图4-3和表 4-3)

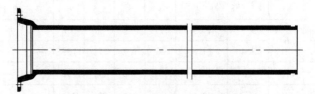

图4-3 N_Ⅱ型和S_Ⅱ型接口球墨铸铁管

表4-3 N_Ⅱ型和S_Ⅱ型接口球墨铸铁管重量

公称直径 DN/mm	壁厚 e/mm	承口凸部近似重量/kg	直部重量 /kg·m^{-1}	总重量/kg				
				标准工作长度 L_u/m				
				4	5	5.5	6	9
100	6	10.3	14.9	70	85	92	100	144
150		13.9	21.8	101	123	134	145	210
200	6.3	17.9	30.1	138	168	183	199	289
250	6.8	22.6	40.2	183	224	244	264	384
300	7.2	27.3	50.8	231	281	307	332	485
350	7.7	32.3	63.2	285	348	380	412	601
400	8.1	38	75.5	340	416	453	491	718
500	9	48.4	104.3	466	570	622	674	987
600	9.9	59.4	137.5	609	746	815	883	1295
700	10.8	78.4	173.9	774	948	1035	1122	1644

4.4 法兰型(焊接)球墨铸铁管(K9)(图4-4和表4-4)

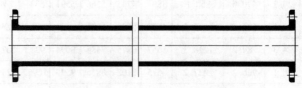

图4-4 法兰型(焊接)球墨铸铁管

表 4-4　法兰型（焊接）球墨铸铁管重量

公称直径 DN/mm	壁厚 e/mm	管体重量 /kg·m⁻¹	重量（不含法兰盘）/kg						
			标准工作长度 L_u/m						
			0.5	1	2	3	4	5	6	7
40		6.6	3.3	6.6	13.2	19.8	26.4	33	39.6	—
50		8	4	8	16	24	32	40	48	—
60		9.4	4.7	9.4	18.8	28.2	37.6	47	56.4	—
65	6	10.1	5.1	10.1	20.2	30.3	40.4	50.5	60.6	—
80		12.2	6.1	12.2	24.4	36.6	48.8	61	73.2	—
100		14.9	7.5	14.9	29.8	44.7	59.6	74.5	89.4	—
125		18.3	9.2	18.3	36.6	54.9	73.2	91.5	110	—
150		21.8	10.9	21.8	43.6	65.4	87.2	109	131	—
200	6.3	30.1	15.1	30.1	60.2	90.3	120	151	181	—
250	6.8	40.2	20.1	40.2	80.4	121	161	201	241	—
300	7.2	50.8	25.4	50.8	102	152	203	254	305	—
350	7.7	63.2	31.6	63.2	126	190	253	316	379	—
400	8.1	75.5	37.8	75.5	151	227	302	378	453	—
450	8.6	89.7	44.9	89.7	179	269	359	449	538	—
500	9	104.3	52.2	104	209	313	417	522	626	—
600	9.9	137.3	68.7	137	275	412	549	687	824	—
700	10.8	173.9	87.0	174	348	522	696	870	1043	—
800	11.7	215.2	108	215	430	646	861	1076	1291	—
900	12.6	260.2	130	260	520	781	1041	1301	1561	—
1000	13.5	309.3	155	309	619	928	1237	1547	1856	—
1100	14.4	362.8	181	363	726	1088	1451	1814	2177	2540
1200	15.3	420.1	210	420	840	1260	1680	2101	2521	2941
1400	17.1	547.2	274	547	1094	1642	2189	2736	3283	3830

公称直径 DN/mm	壁厚 e/mm	管体重量 /kg·m⁻¹	重量（不含法兰盘）/kg 标准工作长度 L_u/m							
			0.5	1	2	3	4	5	6	7
1500	18	617	308	617	1233	1850	2467	3085	3702	4319
1600	18.9	690	345	690	1381	2071	2761	3452	4142	4832
1800	20.7	850	425	850	1700	2550	3400	4251	5101	5951
2000	22.5	1026	513	1026	2053	3079	4105	5132	6158	7184
2200	24.3	1218	609	1218	2437	3655	4873	6092	7310	8528
2400	26.1	1427	714	1427	2854	4282	5709	7136	8563	9990
2600	27.9	1652	826	1652	3305	4957	6610	8262	9914	11567

5 特殊用途球墨铸铁管

随着球墨铸铁管应用领域的不断扩大，不仅应用于供水工程，也应用于排水工程，不仅应用于普通的管线施工，也应用于特殊条件下的管线施工（如采用顶管法施工）。因此，为了满足国内外用户的不同需求，近几年来，新兴铸管公司研制开发了一些特殊用途的球墨铸铁管，已经批量投放于国内外市场。

5.1 特殊涂层球墨铸铁管

关于球墨铸铁管的特殊涂层，在第1章中已做过一些简要介绍，本节主要介绍的是一些特殊涂层的特性、技术标准（或条件）和用途。

5.1.1 内衬环氧陶瓷球墨铸铁管

环氧陶瓷内衬是以环氧树脂、石英粉等为主要原料配制加工而成，具有极高的耐腐蚀性能和较好的耐磨性。因此，对于提高球墨铸铁管的使用寿命具有很好的作用。

环氧陶瓷内衬球墨铸铁管由于提高了内衬的抗腐蚀性能，因此，它除了可以广泛应用于供水工程外，还可以应用于城市污水输送、中水输送等工程。但由于其制造成本较高，所以目前多应用于经济发达国家和地区。

5.1.1.1 环氧陶瓷内衬的特性

环氧陶瓷内衬的特性如下：

（1）耐腐蚀性：能够经受酸、碱和氧化性介质的腐蚀。

（2）耐磨性：磨损指数不大于200mg。

（3）绝缘性：在2500V的电压下无放电现象。

（4）附着力：剥离强度大于7N/mm²。

5.1.1.2 环氧陶瓷内衬的技术标准

环氧陶瓷内衬作为球墨铸铁管的一种新型防腐材料，在我国是由新兴铸管公司首创的，首批产品近 1 万 t 出口到科威特。新兴铸管公司制定了自己的企业标准 Q/XPB 016《球墨铸铁管环氧陶瓷内衬》，并在技术监督部门进行了备案。

标准的主要技术要求规定如下：

（1）内衬表面应光滑、平整，不得有明显的螺旋状凹凸，应有光亮感。

（2）内衬厚度应不小于 1mm。

（3）在 2500V 试验电压下，涂层应无放电现象。

（4）用 70℃蒸馏水、48℃自来水、20%硫酸溶液、25%氢氧化钠溶液和 25℃的 50%双氧水溶液浸泡 28 天，涂层应无变化。

（5）依据美国标准 ASTM D 4060，用 CS-10 或者 CS-17 型打磨轮载重 1kg 时，对涂层进行打磨，每 1000 转后的重量损失应不大于 200mg。

（6）依据美国标准 ASTM D 4541，对涂层进行附着力检验，其剥离强度应不小于 $7N/mm^2$。

5.1.2 聚氨酯涂层球墨铸铁管

聚氨酯涂层是采用双组分聚氨酯材料按 1：1 比例喷涂而成的，具有很好的耐腐蚀性能和卫生性能，既可以用做球墨铸铁管的内衬材料，也可以用做球墨铸铁管的外防腐层，对于提高球墨铸铁管的使用寿命和保证输送水的质量都具有很好的作用。

聚氨酯涂层目前多应用于球墨铸铁管的外涂层，以提高球墨铸铁管对埋设环境的适应性。因此，聚氨酯涂层球墨铸铁管对于土壤条件比较复杂、化学腐蚀和电蚀都比较重的埋设环境，可以替代聚乙烯套的使用。

5.1.2.1 聚氨酯涂层的特性

聚氨酯涂层的特性如下：

（1）耐腐蚀性：能够经受酸、碱性介质的腐蚀。

（2）耐磨性：磨损指数不大于100mg。

（3）绝缘性：在2500V的电压下无放电现象。

（4）附着力：剥离强度大于8N/mm²。

5.1.2.2 聚氨酯涂层球墨铸铁管的技术标准

聚氨酯涂层球墨铸铁管作为新一代球墨铸铁管，新兴铸管公司率先开发研制成功，并批量出口到利比亚等国家和地区。新兴铸管公司制定了自己的企业标准Q/XPB 007《聚氨酯涂层球墨铸铁管》，并在技术监督部门进行了备案。

标准的主要技术要求规定如下：

（1）涂层表面应光滑、平整，不得有螺旋线、针孔等缺陷。

（2）涂层厚度应不小于1000μm。

（3）在2500V电压下，涂层应无放电现象。

（4）用40℃自来水、10% H_2SO_4、10% HCl、30% NaOH、3.5号NaCl溶液浸泡30天，涂层应无变化。

（5）依据美国标准ASTM D 4060，用CS-10或者CS-17型打磨轮载重1kg时，对涂层进行打磨，每1000转后的重量损失应不大于500mg。

（6）依据美国标准ASTM D 4541，对涂层进行附着力检验，其剥离强度应不小于8N/mm²。

5.1.3 内覆PE膜球墨铸铁管

PE是一种无毒材料，在塑料管、铝塑复合管和钢塑复合管生产方面得到广泛应用。新兴铸管公司将PE膜热覆在球墨铸铁管内表面，形成一层防腐层，达到了铁塑复合的效果。

内覆PE膜球墨铸铁管以其优良的卫生性能更适合于输送直接饮用水。

5.1.3.1 内覆PE膜的特性

内覆PE膜除了具有PE所固有的抗腐蚀性能外，还具有以下一些特性：

（1）绝缘性：在20kV的电压下无放电现象。

（2）渗透性：抗水蒸气渗透性好。

（3）附着力：剥离强度大于$60N/cm^2$。

（4）冲击性：具有较好的抗冲击强度。

5.1.3.2 内覆PE膜球墨铸铁管的技术标准

内覆PE膜球墨铸铁管，新兴铸管公司已经开发研制成功，并制定了自己的企业标准Q/XPB 010《内覆PE膜球墨铸铁复合管》。标准的主要技术要求规定如下：

（1）PE膜表面应光滑、平整，不得有明显螺旋状凹凸或起泡。

（2）PE膜厚度应为0.6～1.2mm。

（3）PE膜在20kV电压下应无放电现象。

（4）PE膜压痕硬度应小于0.2mm。

（5）PE膜水蒸气渗透率应不大于$0.45mg/cm^2$。

（6）PE膜剥离强度应不小于$60N/cm^2$。

（7）PE膜冲击强度应不小于$5J/mm^2$。

5.1.4 水泥＋环氧树脂内衬球墨铸铁管

随着球墨铸铁管生产技术的进步和应用范围的扩大，提出了对水泥砂浆内衬采用密封层的技术，以减少水泥的析出物对水的影响。环氧树脂作为水泥内衬密封层就是其中之一。新兴铸管公司已经向科威特出口了74km DN1400mm的水泥环氧树脂内衬球墨铸铁管。

水泥＋环氧树脂内衬球墨铸铁管作为一种改进型的产品，可以广泛应用于供水工程。由于增加了密封层对水质的保护作用，因此更适合于输送直接饮用水。

与其相类似的还有"水泥＋无毒防腐漆内衬球墨铸铁管"，新兴铸管公司生产此类产品已经通过了韩国的质量认证，向韩国批量出口。

水泥＋环氧树脂内衬的特性如下：

（1）无溶剂环氧涂料，100％固体，涂料符合环保理念，无挥发性有机物（VOC）排放，对生态环境无污染。固化后漆膜收缩率低，能一次涂装成厚膜，一次涂敷涂层可厚达500μm。

（2）固化速度适中，使涂料对基材具有足够的润湿时间，因此对水泥具有很强的附着力。

（3）涂层光滑、致密、坚硬，摩擦阻力小，输送能力高。

（4）对水分、湿度不像聚氨酯那么敏感，起泡现象很少。

（5）涂层固化后无毒。

（6）使用寿命达50年以上。

水泥＋环氧树脂内衬的技术规定如下：

（1）涂层表面应光滑、平整。

（2）涂层厚度应不小于400μm。

（3）依据美国标准 ASTM D 4060，用 CS-10 或者 CS-17 型打磨轮载重1kg时，对涂层进行打磨，每1000转后的重量损失应不大于400mg。

（4）依据美国标准 ASTM D 4541，对涂层进行附着力检验，其剥离强度应不小于$5N/cm^2$。

5.2 顶推施工用球墨铸铁管

球墨铸铁管线现场施工过程中，有时由于受施工条件的限制，如跨越公路、铁路、河流、地面建筑物等，无法或难以在地面开沟铺设管道。为方便现场施工，新兴铸管公司设计开发了离心球墨铸铁顶管。

由于顶管在现场施工过程中具有一系列的优点，越来越受到人们的青睐：

（1）不需要开挖沟槽，可以安全地穿越地面建筑物和地下管线及公路、铁路、河道，对施工周围的影响大大减小，节省大量投资和时间。

（2）对城区的交通、噪声、粉尘、震动的危害和影响大大降低。

（3）可以在很深的地下铺设管道。

顶管法是真正的无污染、高效率的施工技术。近年来，随着城市建设的大规模发展和人们对生活环境质量的更高要求，顶管技术的应用更加广泛。

球墨铸铁顶管技术是在球墨铸铁管的基础上，通过在铸管外壁衬一定厚度的水泥砂浆、增加法兰及加强筋等措施，形成能借助顶推装置，在不开挖沟渠的情况下，将管道在地下逐节顶进施工的技术。

经过多年的不断实践和创新，新兴铸管公司的顶管生产和施工技术得到了突飞猛进的发展。产品范围为：DN300～1000mm TD 型、DN1100～2600mm UD 型；不但能水平顶，还能曲线顶进、垂直顶升。目前新兴铸管公司生产的球墨铸铁顶管已大批销往中东、东南亚等国家和地区。

5.2.1 球墨铸铁顶管技术参数

TD 型顶管法接口球墨铸铁管（DN300～1000mm）结构如图 5-1 所示，其技术参数如表 5-1 所示。

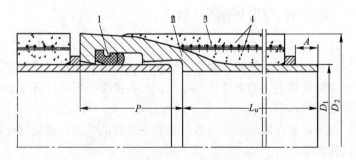

图 5-1 TD 型顶管法接口球墨铸铁管结构

1—橡胶圈；2—球墨铸铁管；3—焊接钢丝网；4—钢筋混凝土

表 5-1　TD 型顶管法接口球墨铸铁管技术参数　　（mm）

公称直径 DN	球墨铸铁管壁厚 e			D_1	D_2	A	L_u	球墨铸铁管质量/kg		
	K9	K10	K12					K9	K10	K12
300	7.2	8.0	9.6	326	398	100	6000	324	357	423
350	7.7	8.5	10.2	378	453	100	6000	403	442	523
400	8.1	9.0	10.8	429	505	100	6000	483	532	630
450	8.6	9.5	11.4	480	550	110	6000	575	633	749
500	9.0	10.0	12.0	532	609	110	6000	669	737	873
600	9.9	11.0	13.2	635	718	110	6000	883	972	1151
700	10.8	12.0	14.4	738	834	140	6000	1125	1239	1466
800	11.7	13.0	15.6	842	953	150	6000	1396	1537	1818
900	12.6	14.0	16.8	945	1062	165	6000	1693	1864	2205
1000	13.5	15.0	18.0	1048	1168	170	6000	2020	2223	2628

注：铸管内外衬水泥砂浆后的总重量请向制造商咨询。

UD 型顶管法接口球墨铸铁管（DN1100～2600mm）结构如图 5-2 所示，其技术参数如表 5-2 所示。

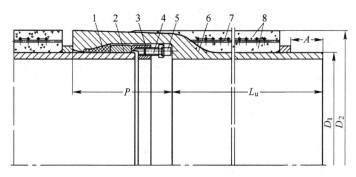

图 5-2　UD 型顶管法接口球墨铸铁管结构

1—橡胶圈；2—开口圈；3—压紧圈；4—螺栓；5—定位销；
6—球墨铸铁管；7—焊接钢丝网；8—钢筋混凝土

表 5-2 UD 型顶管法接口球墨铸铁管技术参数 　　（mm）

公称直径 DN	壁 厚			D_1	D_2	P	A	L_u	球墨铸铁管质量/kg		
	K9	K10	K12						K9	K10	K12
1100	14.4	16.0	19.2	1152	1266	270	165	6000	2500	2738	3213
1200	15.3	17.0	20.4	1255	1372	270	165	6000	2886	3160	3710
1400	17.1	19.0	22.8	1462	1585	280	175	6000	3740	4010	4460
								8150	4916	5282	5894
1500	18.0	20.0	24.0	1565	1690	285	180	6000	4241	4645	5453
								8150	5567	6116	7214
1600	18.9	21.0	25.2	1668	1804	295	180	6000	4782	5234	6138
								8150	5626	6880	8110
1800	20.7	23.0	27.6	1875	2018	295	180	8150	5880	8464	9978
2000	22.5	25.0	30.0	2082	2230	300	185	8150	9316	10230	12058
2200	24.3	27.0	32.4	2288	2442	310	195	8150	11070	12155	14326
2400	26.1	29.0	34.8	2495	2654	320	205	8150	12963	14233	16778
2600	27.9	31.0	37.2	2702	2884	395	265	8150	15387	16858	19805

注：铸管内外衬水泥砂浆后的总重量请向制造商咨询。

球墨铸铁顶管允许顶推阻力如表 5-3 所示。

表 5-3　球墨铸铁顶管允许顶推阻力 　　（t）

公称直径 DN/mm	壁 厚 级 别		
	K9	K10	K12
300	180	200	210
350	180	220	250
400	220	250	290
450	250	290	290
500	290	340	380
600	380	380	380
700	490	590	670

公称直径 DN/mm	壁　　厚　　级　　别		
	*K*9	*K*10	*K*12
800	590	670	670
900	670	670	670
1000	820	920	920
1100	920	920	920
1200	920	920	920
1400	920	920	920
1500	1260	1260	1260
1600	1260	1260	1260
1800	1260	1260	1260
2000	1720	1720	1720
2200	1720	1720	1720
2400	1720	1720	1720
2600	2370	2370	2370

注：表中所给出的顶推力要均匀地分布在铸管的圆周上。

5.2.2 安装方法

顶管法可以用于在地下安装管道而不用挖掘沟渠，也可以用来在隧道中铺设管道。顶管法安装有下列优点：

（1）由于接口突出较小，并且所有的连接工作都可以从管内部来进行，因此，可以使在隧道内部和管外部之间的空间变得较小。

（2）由于在隧道中连接管道不必考虑火或电，因此可以安全地进行工作。

（3）由于是机械接口，安装工作既简单又快捷。

由于机械接口柔性高，因此，在隧道中弯曲的部分也可以使用这种管子来铺设管道。

安装步骤如下：

（1）插口（承口）插入前，在插口外面、承口内面以及橡胶圈上涂刷浓浆状的肥皂水。

（2）插入后，将橡胶圈戴在插口上，用手指将其推入到能轻轻进入的位置。

（3）将开口圈（分为 3 个弧状片，如图 5-3 所示）从下方顺次插入。首先在下面安上两个Ⅰ，然后将Ⅱ滑向管轴方向，架在Ⅰ的上面组合起来。在将开口圈的 3 个弧片往承口插入时，如在弧片与弧片之间有较大的间隙出现，则在弧片上Ⅰ—Ⅰ之间插入一种填塞间隙的弧片（与开口圈同截面，同材质，厚6mm）。

（4）将拧进了螺栓的压紧圈（分为 4 个弧片，如图 5-4 所示）从下面顺次插入，为了使Ⅲ不致掉下来，采用固定件将其固定。固定件是为了防止在安装操作时上部的压紧圈脱落下来。安装完毕后，由于橡胶圈的反弹力以及压盖圈与承口底部之间填充的水泥砂浆的起拱作用，上部压盖圈脱落的危险性已不存在，可以取掉。但将固定件原样保留也可以，为了慎重起见，一般为镀锌件。

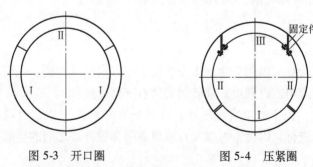

图 5-3　开口圈　　　　　　　图 5-4　压紧圈

（5）将压紧圈的螺栓的一部分（3 根中占 1 根的大概比例），用扳手或棘轮扳手反向旋转，使其从压紧圈中拧出来35～40mm 的程度，从而将橡胶圈推入深处。

（6）将尚未拧出来的螺栓头部的平帽上安入固定销。

（7）将安装了固定销的螺栓稍微拧出，将开始的螺栓一次拧入，在其头部也安上固定销（全部的螺栓安装固定销完毕）。

一边注意使拧出的间隙上下左右均等，一边将全部的螺栓拧出，至压紧圈与承口底部的间隙达到规定长度时，即为安装完毕。

5.2.3 顶推力的计算

所需的顶推力为：

$$P = P_1 + P_2 + P_3$$

式中　P——所需的顶推力；

P_1——妨碍性阻力；

P_2——铸管和土壤之间的摩擦阻力；

P_3——由于铸管本身的重量所引起的摩擦阻力。

妨碍性阻力用下式计算：

$$P_1 = \pi D t \gamma \left(H + \frac{D}{2} \right) \tan^2 \left(45° + \frac{\phi}{2} \right)$$

式中　D——导向管外径；

t——导向管壁厚，$t = \frac{1}{2}$（外径 − 内径）；

γ——土壤密度；

H——土壤覆盖厚度；

ϕ——土壤的内摩擦角。

土壤压力分布的假定情况如图 5-5 所示。在这种情况下，铸管和土壤之间的摩擦阻力用下式来计算：

$$P_2 = \frac{1}{2} \pi D \mu L \left[W + \frac{1}{2} (W_1 + W_2) \right]$$

式中　D——铸管的外径；

μ——铸管和土壤之间的摩擦系数；

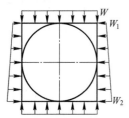

图 5-5　土壤压力分布

L——顶推距离;

W——垂直方向的压力;

W_1，W_2——在铸管的顶部和底部的水平方向上的土壤压力。

垂直压力计算公式为:

$$W = \gamma h_0$$

$$h_0 = \frac{B_1}{K\tan\phi}(1 - e^{-K\tan\phi\frac{H}{B_1}})$$

式中 h_0——由击穿效率引起的土壤降低的高度;

K——Terzaghis 系数,$K \approx 1$。

其他符号如图 5-6 所示。计算公式如下:

$$B_1 = B_0 + h_1\tan\left(45° - \frac{\phi}{2}\right)$$

$$B_0 = \gamma_0\cos\left(45° - \frac{\phi}{2}\right)$$

$$h_1 = \gamma_0\left[1 + \sin\left(45° - \frac{\phi}{2}\right)\right]$$

铸管顶部水平方向上的土壤压力计算公式为:

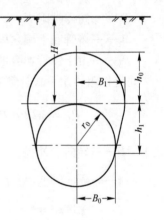

图 5-6　计算垂直压力时的符号表示

$$W_1 = C_e\gamma h_0$$

式中 C_e——主动土壤压力的系数，$C_e = \tan^2\left(45° - \frac{\phi}{2}\right)$。

铸管底部水平方向上的土壤压力计算公式为:

$$W_2 = C_e\gamma(h_0 + D)$$

由于铸管的重量所引起的摩擦阻力用下式计算:

$$P_3 = \frac{\pi}{4}W_p\mu L$$

式中　W_p——单位长度的铸管的重量；

　　　μ——铸管和土壤之间的摩擦系数；

　　　L——顶推长度。

5.2.4　顶管安装设备

对于大于700mm的铸管来说，在顶推期间，在铸管前面的挖掘工作一般从导向管内部进行。然而，挖掘的具体方法是由土壤的条件决定的。必要的时候，挖掘面使用气压工具或手工工具来开掘，将挖掘出的土壤装在盛料斗里（例如翻斗车），将挖掘出的土运送到顶推坑。

顶推设备的总体布置如图5-7所示。

安装液压顶推器是为了移动管道。其工作能力范围为1~2MN，其行程为30~2000mm。

通常将止推墙建筑在顶推坑的后部，一般用钢筋混凝土来构

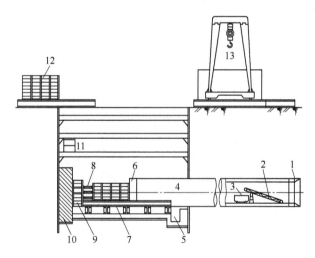

图 5-7　顶推设备总体布置

1—引导管；2—皮带机；3—承载箱；4—球墨铸铁管；5—排水坑；

6—止推环；7—导轨；8—液压千斤顶；9—千斤顶座；10—止推墙；

11—液压泵；12—间隔块体存放处；13—吊车

筑。设计这个止推墙的目的是将反作用荷载分散到顶推坑后面的土地上。

间隔块都是配套生产的，用来增加顶推器的行程，以便能够安装整根长度的铸管。

止推环紧靠球墨铸铁管的截面区放置，以保证推进力沿着铸管的圆周分布。

一般来说，使用引导管的目的是结合几个液压顶推器来控制管道的线路和其水平性。

6 球墨铸铁管件

6.1 球墨铸铁管件总述

球墨铸铁管件端头一般是法兰连接或承插式连接（T 型、K 型、N_{II} 型、S_{II} 型）。本章提供了部分常用管件的尺寸和重量，重量仅供参考。为满足用户的需要，也可根据供需双方协议，提供特殊尺寸的管件以满足施工的要求。

管件的壁厚按下式计算：

$$e = K(0.5 + 0.001 DN)$$

式中　e——标准壁厚，mm；

K = 9，10，11，12，14。

管件的最小标准壁厚为 7mm。

长度偏差如表 6-1 所示。

表 6-1　管件长度偏差

管件类型	长　度	允　许　偏　差/mm
盘承套管 盘插管 承　套 渐缩管	L/L_u	DN80 ~ 1200m：±25 DN1400 ~ 2600m：±35
90°弯管	L_u	±（15 + 0.03 DN）
45°弯管	L_u	±（10 + 0.025 DN）
22.5°、11.25°弯管	L_u	DN80 ~ 1200mm：±（10 + 0.02 DN） DN1400 ~ 2600mm：±（10 + 0.025 DN）
丁字管	L 和 L_u	DN80 ~ 1200mm：+50，-25 DN1400 ~ 2600mm：±75，-35

法兰管件有效长度的偏差为 ±10mm。

密封性水压试验如表 6-2 所示。

表 6-2　管件水压试验值

DN/mm	试验水压/MPa
40 ≤ DN ≤ 300	2.5
350 ≤ DN ≤ 600	1.6
700 ≤ DN ≤ 2600	1.0

燃气用管件应进行气密性试验，试验压力不得小于 0.6MPa。

6.2　T 型管件

T 型管件长度 L_u 的取值为 5 的整数倍。客户如对管件有特殊的要求，可在订货时明确。

6.2.1　盘承套管（图 6-1 和表 6-3）

$e = 12\ (0.5 + 0.001DN)$　　最小值为 7mm

$$d = \begin{cases} 25 + 1.05DN & DN80 \sim 1200mm \\ 35 + 1.03DN & DN1400 \sim 2600mm \end{cases}$$

$$L_u = \begin{cases} 120 + 0.1DN\ （修约到 ±5） & DN80 \sim 1200mm \\ 170 + 0.1DN\ （修约到 ±5） & DN1400 \sim 2600mm \end{cases}$$

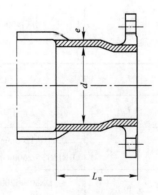

图 6-1　盘承套管

表 6-3　盘承套管尺寸　　　　　　（mm）

DN	e	d	L_u	重 量/kg		
				PN10	PN16	PN25
80	7	109	130	7.4	7.4	7.4
100	7.2	130	130	9	9	9.5
125	7.5	156	135	11.5	11.5	12.1
150	7.8	183	135	14.2	14.2	15.2
200	8.4	235	140	20.5	20	22
250	9	288	145	28	27.5	31.5
300	9.6	340	150	37	36.5	42
350	10.2	393	155	45	48	56
400	10.8	445	160	55	60	71
450	11.4	498	165	66.5	76.5	87.5
500	12	550	170	78	93	104
600	13.2	655	180	108	135	149
700	14.4	760	190	144	159	216
800	15.6	865	200	189	208	287
900	16.8	970	210	235	258	356
1000	18	1075	220	293	324	458
1200	20.4	1285	240	456	521	664
1400	22.8	1477	310	654	723	882

6.2.2　承套（图 6-2 和表 6-4）

$e = 12（0.5 + 0.001DN）$　　最小值为 7mm

$$d = \begin{cases} 25 + 1.05DN & DN80 \sim 1200mm \\ 35 + 1.03DN & DN1400 \sim 2600mm \end{cases}$$

$$L_u = \begin{cases} 150 + 0.1DN （修约到 ±5） & DN80 \sim 1200mm \\ 200 + 0.1DN & DN1400 \sim 2600mm \end{cases}$$

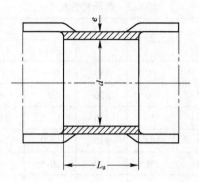

图 6-2　承套

表 6-4　承套尺寸　　　　　　　　（mm）

DN	e	d	L_u	重量/kg
80	7	109	160	7.9
100	7.2	130	160	9.9
125	7.5	156	165	12.9
150	7.8	183	165	15.9
200	8.4	235	170	23
250	9	288	175	31.5
300	9.6	340	180	41
350	10.2	393	185	52
400	10.8	445	190	64
450	11.4	498	195	91
500	12	550	200	93
600	13.2	655	210	129
700	14.4	760	220	172
800	15.6	865	230	223
900	16.8	970	240	282
1000	18	1075	250	349
1200	20.4	1285	270	560
1400	22.8	1492	340	816

6.2.3 双承和承插 90°（1/4）弯管（图 6-3 和表 6-5）

$e = 12（0.5 + 0.001DN）$ 最小值为 7mm

$L_u = 20 + DN$

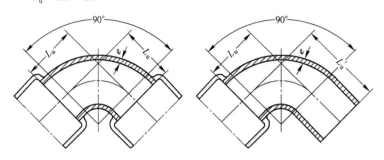

图 6-3 双承和承插 90°（1/4）弯管

表 6-5 双承和承插 90°（1/4）弯管尺寸   （mm）

DN	e	L_u	L'_u	重量/kg	
				双承	承插
80	7	100	280	8.6	9
100	7.2	120	300	11.4	11.9
125	7.5	145	325	15.7	14.4
150	7.8	170	350	20.5	21.4
200	8.4	220	400	33	34.2
250	9	270	450	48.5	54.1
300	9.6	320	500	68	69.6
350	10.2	370	550	98.4	99.7
400	10.8	420	600	129	130
450	11.4	470	670	163	165
500	12	520	720	204	205
600	13.2	620	820	303	301
700	14.4	720	900	436	436
800	15.6	820	1000	595	595
900	16.8	920	1100	793	793
1000	18	1020	1200	986	986
1200	20.4	1220	1400	1624	1624
1400	22.8	1220	1600	2419	2419

6.2.4 双承和承插45°（1/8）弯管（图6-4和表6-6）

$e = 12 \ (0.5 + 0.001 \text{DN})$　最小值为 7mm

$$L_u = \begin{cases} 20 + 0.44\text{DN} \ (修约到 \pm 5) & \text{DN}80 \sim 1200\text{mm} \\ 180 + 0.24\text{DN} \ (修约到 \pm 5) & \text{DN}1400 \sim 2600\text{mm} \end{cases}$$

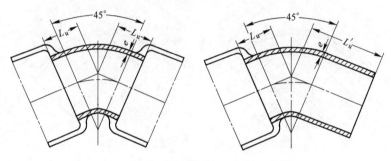

图 6-4　双承和承插 45°（1/8）弯管

表 6-6　双承和承插 45°（1/8）弯管尺寸　　　　（mm）

DN	e	L_u	L'_u	重量/kg	
				双承	承插
80	7	55	235	7.7	8.1
100	7.2	65	245	10.1	10.6
125	7.5	75	255	13.6	12.3
150	7.8	85	265	17.4	18.2
200	8.4	110	290	27	28.2
250	9	130	310	38.5	40.2
300	9.6	150	330	53	54.6
350	10.2	175	355	70	71.3
400	10.8	195	375	89	89.9
450	11.4	220	420	123	125
500	12	240	440	139	139
600	13.2	285	485	202	200
700	14.4	330	580	310	310
800	15.6	370	620	418	418
900	16.8	415	665	554	554
1000	18	460	760	710	710
1200	20.4	550	850	1109	1109
1400	22.8	515	815	1632	1632

6.2.5 双承和承插 22.5°（1/16）弯管（图 6-5 和表 6-7）

$$e = 12 \ (0.5 + 0.001 \text{DN}) \quad \text{最小值为 7mm}$$

$$L_{u} = \begin{cases} 20 + 0.22 \text{DN}（修约到 \pm 5） & \text{DN80} \sim 1200\text{mm} \\ 90 + 0.12 \text{DN}（修约到 \pm 5） & \text{DN1400} \sim 2600\text{mm} \end{cases}$$

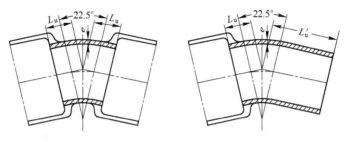

图 6-5 双承和承插 22.5°（1/16）弯管

表 6-7 双承和承插 22.5°（1/16）弯管尺寸 　　　　（mm）

DN	e	L_{u}	L'_{u}	重量/kg	
				双承	承插
80	7	40	220	7.3	7.7
100	7.2	40	220	9.3	9.8
125	7.5	50	230	12.6	11.2
150	7.8	55	235	15.9	16.8
200	8.4	65	245	24	25.2
250	9	75	255	33.5	35.2
300	9.6	85	265	44.5	46.2
350	10.2	95	275	58	59
400	10.8	110	290	74	79.5
450	11.4	120	320	102	107
500	12	130	330	111	117
600	13.2	150	350	157	161
700	14.4	175	425	248	248
800	15.6	195	445	331	331
900	16.8	220	470	432	432
1000	18	240	540	550	550
1200	20.4	285	585	851	851
1400	22.8	260	560	1241	1241

6.2.6 双承和承插11.25°（1/32）弯管（图6-6和表6-8）

$$e = 12 \ (0.5 + 0.001 DN) \qquad 最小值为7mm$$

$$L_u = \begin{cases} 20 + 0.11 DN \ （修约到 \pm 5） & DN80 \sim 1200mm \\ 45 + 0.06 DN \ （修约到 \pm 5） & DN1400 \sim 2000mm \end{cases}$$

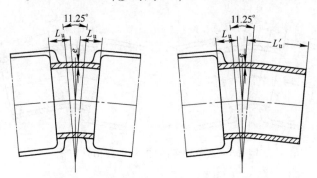

图6-6 双承和承插11.25°（1/32）弯管

表6-8 双承和承插11.25°（1/32）弯管尺寸 （mm）

DN	e	L_u	L_u'	重量/kg 双承	重量/kg 承插
80	7	30	210	7.1	7.4
100	7.2	30	210	8.9	9.4
125	7.5	35	215	11.9	10.6
150	7.8	35	215	14.8	16
200	8.4	40	220	22	23.2
250	9	50	230	30.5	32.2
300	9.6	55	235	40.5	42.2
350	10.2	60	240	52	53.3
400	10.8	65	245	65	70.5
450	11.4	70	270	91.9	97
500	12	75	275	96	102
600	13.2	85	285	134	138
700	14.4	95	345	216	216
800	15.6	110	360	286	286
900	16.8	120	370	374	374
1000	18	130	430	473	473
1200	20.4	150	450	724	724
1400	22.8	130	430	1047	1047

6.2.7 双承单支盘丁字管（图 6-7）

6.2.7.1 DN80～200mm（表 6-9）

$e_1 = 14 \ (0.5 + 0.001DN)$

$e_2 = 14 \ (0.5 + 0.001dn)$

$L_u = 70 + 0.06DN + 1.16dn$（修约到 ±5）

$L'_u = 100 + 0.6DN + 0.2dn$（修约到 ±5）

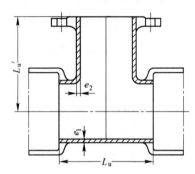

图 6-7 双承单支盘丁字管

表 6-9 双承单支盘丁字管（DN80～200mm）尺寸　（mm）

主管			支管			重量/kg		
DN	e_1	L_u	dn	e_2	L'_u	PN10	PN16	PN25
80	8.1	170	80	8.1	165	13.5	13.5	13.5
100	8.4	170	80	8.1	175	15.8	15.8	15.8
	8.4	190	100	8.4	180	17.2	17.2	17.2
125	8.8	170	80	8.1	190	19.4	19.4	19.4
	8.8	195	100	8.4	195	21	21	21.5
	8.8	225	125	8.8	200	23	23	24
150	9.1	170	80	8.1	205	23	23	23
	9.1	195	100	8.4	210	24.5	24.5	25
	9.1	255	150	9.1	220	29.5	29.5	30.5

主　管			支　管			重　量/kg		
DN	e_1	L_u	dn	e_2	L'_u	PN10	PN16	PN25
200	9. 8	175	80	8. 1	235	31. 5	31. 5	31. 5
	9. 8	200	100	8. 4	240	33. 5	33. 5	34
	9. 8	255	150	9. 1	250	39	39	40
	9. 8	315	200	9. 8	260	45. 6	46	47. 5

6.2.7.2　DN250~600mm（表6-10）

$e_1 = 14 \ (0.5 + 0.001 \text{DN})$

$e_2 = 14 \ (0.5 + 0.001 \text{dn})$

$L_u = 70 + 0.06 \text{DN} + 1.16 \text{dn}$ （修约到 ±5）

$L'_u = 100 + 0.6 \text{DN} + 0.2 \text{dn}$ （修约到 ±5）

表 6-10　双承单支盘丁字管（DN250~600mm）尺寸　（mm）

主　管			支　管			重　量/kg		
DN	e_1	L_u	dn	e_2	L'_u	PN10	PN16	PN25
250	10. 5	200	100	8. 4	270	43. 5	43. 5	44
	10. 5	315	200	9. 8	290	57	57	59
	10. 5	375	250	10. 5	300	65	66	69
300	11. 2	205	100	8. 4	300	55	55	56
	11. 2	320	200	9. 8	320	71	70	73
	11. 2	435	300	11. 2	340	89	91	95
350	11. 9	205	100	8. 4	330	68	68	68
	11. 9	325	200	9. 8	350	86	86	88
	11. 9	495	350	11. 9	380	117	120	129
400	12. 6	210	100	8. 4	360	83	83	83
	12. 6	325	200	9. 8	380	112	102	104
	12. 6	560	400	12. 6	420	150	156	167

主　管			支　管			重　量/kg		
DN	e_1	L_u	dn	e_2	L'_u	PN10	PN16	PN25
500	14	215	100	8.4	420	116	116	117
	14	330	200	9.8	440	142	141	143
	14	565	400	12.6	480	199	205	216
	14	680	500	14	500	232	247	259
600	15.4	340	200	9.8	500	189	189	191
	15.4	570	400	12.6	540	258	263	274
	15.4	800	600	15.4	580	340	366	380

6.2.7.3　DN700~1200mm（表6-11）

$e_1 = 14 \ (0.5 + 0.001DN)$

$e_2 = 14 \ (0.5 + 0.001dn)$

$L_u = 70 + 0.06DN + 1.16dn$（修约到±5）

$L'_u = 75 + 0.6DN + 0.15dn$（修约到±5）

表 6-11　双承单支盘丁字管（DN700~1200mm）尺寸　（mm）

主　管			支　管			重　量/kg		
DN	e_1	L_u	dn	e_2	L'_u	PN10	PN16	PN25
700	16.8	345	200	9.8	525	249	249	251
	16.8	575	400	12.6	555	329	333	344
	16.8	925	700	16.8	600	476	487	525
800	18.2	350	200	9.8	585	311	311	313
	18.2	580	400	126	615	405	410	421
	18.2	1045	600	15.4	645	588	612	624
	18.2	1045	800	18.2	675	640	655	708
900	19.6	355	200	9.8	645	385	384	386
	19.6	590	400	12.6	675	497	502	513
	19.6	1170	600	15.4	705	758	782	794
	19.6	1170	900	19.6	750	835	854	920

主　管			支　管			重　量/kg		
DN	e_1	L_u	dn	e_2	L'_u	PN10	PN16	PN25
	21	360	200	9.8	705	467	467	469
	21	595	400	12.6	735	598	603	614
1000	21	1290	600	15.4	765	958	982	994
	21	1290	1000	21	825	1072	1106	1192
	23.8	840	600	15.4	885	1031	1055	1067
1200	23.8	1070	800	18.2	915	1227	1242	1295
	23.8	1300	1000	21	945	1436	1470	1556

6. 2. 7. 4　DN1400～2600mm（表 6-12）

$e_1 = 14$ （$0.5 + 0.001$DN）

$e_2 = 14$ （$0.5 + 0.001$dn）

$L_u = 250 + 0.06$DN $+ 1.16$dn （修约到 ±5）

$L'_u = 120 + 0.55$DN $+ 0.15$dn （修约到 ±5）

表 6-12　双承单支盘丁字管（DN1400～2600mm）尺寸 （mm）

主　管			支　管			重　量/kg		
DN	e_1	L_u	dn	e_2	L'_u	PN10	PN16	PN25
	26.6	1030	600	15.4	980	1478	1505	1519
1400	26.6	1260	800	18.2	1010	1709	1728	1777
	26.6	1495	1000	21	1040	1956	1996	2075

6. 2. 8　全承丁字管（图 6-8 和表 6-13）

$e_1 = 14$ （$0.5 + 0.001$DN）

$e_2 = 14$ （$0.5 + 0.001$dn）

$L_u = 70 + 0.06$DN $+ 1.16$dn （修约到 ±5）

$$L'_u = 35 + 0.5DN + 0.11dn\ (修约到 \pm 5)$$

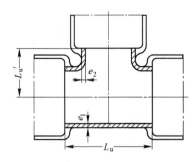

图 6-8　全承丁字管

表 6-13　全承丁字管尺寸　　　　　　　　（mm）

DN	dn	主　管		支　管		重　量/kg
		e_1	L_u	e_2	L'_u	
80	80	8.1	170	8.1	85	12.4
100	80	8.4	170	8.1	95	14.8
	100		190	8.4	95	16.1
125	80	8.8	170	8.1	105	21.4
	100		195	8.4	110	23.4
	125		225	8.8	110	22
150	80	9.1	170	8.1	120	21.5
	100		195	8.4	120	23.5
	150		255	9.1	125	28
200	80	9.8	175	8.1	145	30
	100		200	8.4	145	32
	150		255	9.1	150	37
	200		315	9.8	155	48
250	100	10.5	200	8.4	170	42.7
	150		260	9.1	175	51.1
	200		315	9.8	180	55.9
	250		375	10.5	190	63.2

DN	dn	主 管		支 管		重 量/kg
		e_1	L_u	e_2	L'_u	
300	100	11.2	205	8.4	195	54.2
	150		260	9.1	200	64.3
	200		320	9.8	205	69.9
	250		375	10.5	210	79.9
	300		435	11.2	220	86.2
350	100	11.9	210	8.4	225	67.2
	150		260	9.1	230	79.6
	200		320	9.8	235	84.9
	250		380	10.5	240	96.9
	350		495	11.9	250	116
400	100	12.6	210	8.4	245	82.2
	150		270	9.1	250	96.7
450	100	13.3	215	8.4	270	106
	150		270	9.1	275	116
	200		330	9.8	285	127
	250		390	10.5	290	138
	300		445	11.2	295	149
	400		560	12.6	305	173
	450		620	13.3	310	186
500	100	14	215	8.4	295	115
	200		330	9.8	310	141
	400		565	12.6	330	199
	500		680	14	340	234
600	200	15.4	340	9.8	360	188
	400		570	12.6	380	258
	600		800	15.4	400	343
700	200	16.8	345	9.8	405	259
	400		575	12.6	430	337
	700		925	16.8	460	486

DN	dn	主 管		支 管		重 量/kg
		e_1	L_u	e_2	L'_u	
800	200	18.2	350	9.8	455	330
	400		580	12.6	480	420
	600		815	15.4	500	526
	800		1045	18.2	525	655
900	200	19.6	355	9.8	505	410
	400		590	12.6	530	518
	600		820	15.4	550	635
	900		1170	19.6	585	858
1000	200	21	360	9.8	555	502
	400		595	12.6	580	626
	600		825	15.4	600	758
	1000		1290	21	645	1096
1200	600	23.8	840	15.4	700	1054
	800		1070	18.2	725	1239
	1000		1300	21	745	1447
1400	600	26.6	850	15.4	800	1304
	800		1080	18.2	825	1527
	1000		1315	21	845	1774

6.2.9 双承丁字管（图 6-9 和表 6-14）

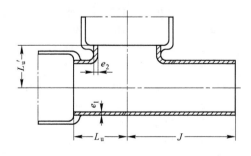

图 6-9 双承丁字管

表 6-14　双承丁字管尺寸　　　　　　　（mm）

DN × dn	e_1	e_2	L_u	J	L'_u	重量/kg
100 × 100	7.2	7.2	95	275	95	16.9
150 × 100	7.8	7.2	100	280	120	24.6
150 × 150	7.8	7.8	130	310	125	28.9
200 × 100	8.4	7.2	100	280	145	33.2
200 × 150	8.4	7.8	130	310	150	38.2
200 × 200	8.4	8.4	160	340	155	44
250 × 100	9.0	7.2	100	280	175	43.8
250 × 150	9.0	7.8	130	310	175	51.9
250 × 200	9.0	8.4	160	340	180	56.7
250 × 250	9.0	9.0	190	370	190	64
300 × 100	9.6	7.2	105	285	195	57.5
300 × 150	9.6	7.8	130	310	200	67.1
300 × 200	9.6	8.4	160	340	205	72.3
300 × 250	9.6	9.0	190	370	210	82.7
300 × 300	9.6	9.6	220	400	220	89.1
350 × 200	10.2	8.4	160	340	235	87.1
350 × 250	10.2	9.0	190	370	240	99.1
350 × 300	10.2	9.6	220	400	245	109
350 × 350	10.2	10.2	250	430	250	118
400 × 200	10.8	8.4	165	345	255	103
400 × 250	10.8	9.0	195	375	260	118
400 × 300	10.8	9.6	220	400	270	128
400 × 350	10.8	10.2	250	430	275	139
400 × 400	10.8	10.8	280	460	280	152
500 × 250	12.0	9.0	195	395	315	161
500 × 300	12.0	9.6	225	425	320	174
500 × 350	12.0	10.2	255	455	325	186
500 × 400	12.0	10.8	285	485	330	199
500 × 500	12.0	12.0	340	540	340	231

DN × dn	e_1	e_2	L_u	J	L'_u	重量/kg
600×300	13.2	9.6	230	430	370	227
600×350	13.2	10.2	255	455	375	241
600×400	13.2	10.8	285	485	380	252
600×500	13.2	12.0	345	545	390	287
600×600	13.2	13.2	400	600	400	334
700×300	14.4	9.6	230	480	420	297
700×350	14.4	10.2	260	510	425	317
700×400	14.4	10.8	290	540	430	337
700×500	14.4	12.0	345	595	440	380
700×600	14.4	13.2	405	655	450	430
700×700	14.4	14.4	465	715	460	486
800×400	15.6	10.8	290	540	480	420
800×500	15.6	12.0	350	600	490	472
800×600	15.6	13.2	410	660	500	526
800×800	15.6	15.6	525	775	525	655
900×500	16.8	12.0	350	600	540	574
900×600	16.8	13.2	410	660	550	635
900×700	16.8	14.4	470	720	560	700
900×900	16.8	16.8	585	835	585	858
1000×600	18	13.2	415	715	600	758
1000×700	18	14.4	470	770	610	831
1000×800	18	16.8	530	830	625	913
1000×1000	18	18	645	945	645	1096
1200×800	20.4	15.6	535	835	725	1239
1200×900	20.4	16.8	595	895	735	1339
1200×1000	20.4	18	650	950	745	1447
1200×1200	20.4	20.4	770	1070	770	1697
1400×900	22.8	16.8	600	900	835	1649
1400×1000	22.8	18	660	960	845	1774
1400×1200	22.8	20.4	775	1075	865	2049
1400×1400	22.8	22.8	890	1190	890	2323

6.2.10 双承渐缩管（图6-10和表6-15）

$$e_1 = 12 \ (0.5 + 0.001 DN) \qquad 最小值为7mm$$

$$e_2 = 12 \ (0.5 + 0.001 dn) \qquad 最小值为7mm$$

$$L_u = \begin{cases} 50 + 2 \ (DN - dn) & DN80 \sim 300mm \\ 60 + 2 \ (DN - dn) & DN350 \sim 600mm \\ 80 + 2 \ (DN - dn) & DN700 \sim 1200mm \\ 160 + \ (DN - dn) & DN1400 \sim 2600mm \end{cases}$$

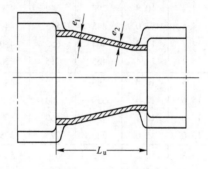

图6-10 双承渐缩管

表6-15 双承渐缩管尺寸 （mm）

大 径		小 径		L_u	重量/kg
DN	e_1	dn	e_2		
100	7.2	80	7	90	8.5
125	7.5	80	7	140	10.8
	7.5	100	7.2	100	11.1
150	7.8	80	7	190	13.5
	7.8	100	7.2	150	13.8
	7.8	125	7.5	100	14.4
200	8.4	100	7.2	250	20.5
	8.4	125	7.5	200	20.5
	8.4	150	7.8	150	21

大　径		小　径		L_u	重量/kg
DN	e_1	dn	e_2		
250	9	125	7. 5	300	29
	9	150	7. 8	250	29
	9	200	8. 4	150	29
300	9. 6	150	7. 8	350	39. 5
	9. 6	200	8. 4	250	39. 5
	9. 6	250	9	150	38. 5
350	10. 2	200	8. 4	360	52
	10. 2	250	9	260	51
	10. 2	300	9. 6	160	49. 5
400	10. 8	250	9	360	66
	10. 8	300	9. 6	260	64
	10. 8	350	10. 2	160	62
500	12	350	10. 2	360	98
	12	400	10. 8	260	94
600	13. 2	400	10. 8	460	142
	13. 2	500	12	260	131
700	14. 4	500	12	480	194
	14. 4	600	13. 2	280	178
800	15. 6	600	13. 2	480	252
	15. 6	700	14. 4	280	229
900	16. 8	700	14. 4	480	318
	16. 8	800	15. 6	280	288
1000	18	800	15. 6	480	392
	18	900	16. 8	280	354
1200	20. 4	1000	18	480	570
1400	22. 8	1200	20. 4	360	711

6.2.11 双承和承插乙字弯管（图6-11 和表6-16）

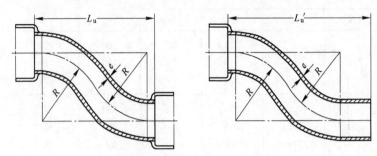

图6-11 双承和承插乙字弯管

表6-16 双承和承插乙字弯管尺寸 （mm）

DN	e	L_u	L'_u	R	整体重量/kg	
					双承	承插
100	7.2	350	510	150	18.7	11.3
150	7.8	355	515	150	36.2	19.1
200	8.4	450	630	200	51.6	31.9
250	9.0	535	715	250	70.4	48.7
300	9.6	640	820	300	90.7	72.1
350	10.2	680	860	350	123	94.4
400	10.8	820	1000	400	161	130
500	12.0	1010	1210	500	256	218
600	13.2	1200	1400	600	383	342
700	14.4	1380	1630	700	519	483

6.2.12 全承十字管（图6-12 和表6-17）

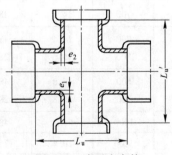

图6-12 全承十字管

表 6-17　全承十字管尺寸　　　　　　　（mm）

DN × dn	e_1	e_2	L_u	L'_u	重量/kg
100 × 100	7. 2	7. 2	190	95	19. 8
150 × 100	7. 8	7. 2	195	120	26. 6
150 × 150	7. 8	7. 8	255	125	33. 6
200 × 100	8. 4	7. 2	200	145	34. 2
200 × 150	8. 4	7. 8	255	150	41. 7
200 × 200	8. 4	8. 4	315	155	50. 9
250 × 100	9. 0	7. 2	200	170	44. 9
250 × 150	9. 0	7. 8	260	175	57. 9
250 × 200	9. 0	8. 4	315	180	64. 2
250 × 250	9. 0	9. 0	375	190	75. 1
300 × 100	9. 6	7. 2	205	195	55. 7
300 × 150	9. 6	7. 8	260	200	71. 1
300 × 200	9. 6	8. 4	320	205	77. 6
300 × 250	9. 6	9. 0	375	210	93. 3
300 × 300	9. 6	9. 6	435	220	101
350 × 200	10. 2	8. 4	320	235	91. 7
350 × 250	10. 2	9. 0	380	240	110
350 × 300	10. 2	9. 6	440	245	123
350 × 350	10. 2	10. 2	495	250	137
400 × 200	10. 8	8. 4	325	255	108
400 × 250	10. 8	9. 0	385	265	130
400 × 300	10. 8	9. 6	440	270	142
400 × 350	10. 8	10. 2	500	275	157
400 × 400	10. 8	10. 8	560	280	177
500 × 250	12. 0	9. 0	390	315	174
500 × 300	12. 0	9. 6	450	320	191
500 × 350	12. 0	10. 2	505	325	207
500 × 400	12. 0	10. 8	565	330	223
500 × 500	12. 0	12. 0	680	340	272

DN×dn	e_1	e_2	L_u	L'_u	重量/kg
600×300	13.2	9.6	455	370	249
600×350	13.2	10.2	510	375	267
600×400	13.2	10.8	570	380	278
600×500	13.2	12.0	685	390	330
600×600	13.2	13.2	800	400	399
700×350	14.4	10.2	520	425	413
700×400	14.4	10.8	575	430	447
700×500	14.4	12.0	690	440	520
700×600	14.4	13.2	810	450	607
700×700	14.4	14.4	925	460	712
800×400	15.6	10.8	580	480	548
800×500	15.6	12.0	700	490	632
800×600	15.6	13.2	815	500	725
800×700	15.6	14.4	930	510	831
800×800	15.6	15.6	1045	525	963
900×500	16.8	12.0	705	540	757
900×600	16.8	13.2	820	550	859
900×700	16.8	14.4	935	560	969
900×800	16.8	15.6	1050	575	1105
900×900	16.8	16.8	1170	585	1262
1000×600	18	13.2	825	600	1011
1000×700	18	14.4	940	610	1130
1000×800	18	15.6	960	625	1276
1000×900	18	16.8	1175	635	1432
1000×1000	18	18	1290	645	1612
1200×800	20.4	15.6	1070	725	1677
1200×900	20.4	16.8	1185	735	1847
1200×1000	20.4	18	1300	745	2034
1200×1100	20.4	19.2	1420	755	2246
1200×1200	20.4	20.4	1535	765	2497

DN × dn	e_1	e_2	L_u	L_u'	重量/kg
1400 × 900	22.8	16.8	1200	835	2261
1400 × 1000	22.8	18	1315	845	2468
1400 × 1100	22.8	19.2	1430	855	2683
1400 × 1200	22.8	20.4	1545	865	2940
1400 × 1400	22.8	22.8	1780	890	3446

6.2.13 插堵（图 6-13 和表 6-18）

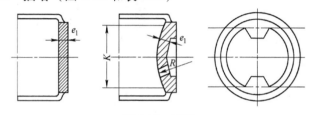

图 6-13 插堵

表 6-18 插堵尺寸 （mm）

DN	e_1	K 和 R	重量/kg
100	18		8.5
150	18		14.1
200	18	—	19.8
250	19.5		27.4
300	23	—	42.8
350	24	315	61.7
400	25	370	76.3
450	26	420	93.7
500	27	460	107
600	29.5	565	132
700	31	665	202
800	33	760	275
900	35	860	353
1000	37	960	454

DN	e_1	K 和 R	重量/kg
1200	41	1160	313
1400	43	1260	1018

6.2.14 承堵 (图 6-14 和表 6-19)

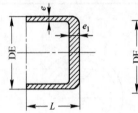 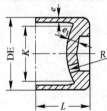 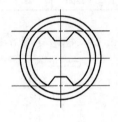

图 6-14 承堵

表 6-19 承堵尺寸 （mm）

DN	DE	e_1	e	K 和 R	L	重量/kg
100	118	18	7.2		200	4.5
150	170	18	7.8		225	9.5
200	222	18	8.4	—	250	14.8
250	274	19.5	9.0		250	21.5
300	326	23	9.6	—	275	33.5
350	378	24	10.2	315	275	45.5
400	429	25	10.8	370	275	56
450	480	26	11.4	420	275	68.5
500	532	27	12	460	275	81
600	635	29.5	13.2	565	300	112
700	738	31	14.4	665	300	193
800	842	33	15.6	760	300	259
900	945	35	16.8	860	350	337
1000	1048	37	18	960	350	437
1200	1255	41	20.4	1160	350	783
1400	1462	43	22.4	1260	350	1078

6.3 K型管件

6.3.1 盘承套管（图6-15和表6-20）

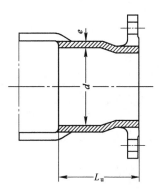

图6-15 盘承套管

表6-20 盘承套管尺寸　　　　　　　　（mm）

DN	e	d	L_u	重量/kg		
				PN10	PN16	PN25
100	7.2	130	130	11.4	11.4	12.4
150	7.8	183	135	16.7	16.7	17.7
200	8.4	235	140	22.7	22.2	24.2
250	9	288	145	29.4	28.9	32.9
300	9.6	340	150	42.4	41.9	47.4
350	10.2	393	155	50.2	53.4	61.2
400	10.8	445	160	60.2	65.2	76.2
450	11.4	498	165	70.6	80.6	91.9
500	12	550	170	80.9	85.9	94.9
600	13.2	655	180	106	133	147
700	14.4	760	190	161	176	211
800	15.6	865	200	206	225	274
900	16.8	970	210	257	281	341
1000	18	1075	220	293	324	458

DN	e	d	L_u	重 量/kg		
				PN10	PN16	PN25
1200	20.4	1285	240	456	521	664
1400	22.8	1477	310	654	723	882
1600	25.2	1683	330	897	999	1176
1800	27.6	1889	350	1137	1263	1503
2000	30	2095	370	1428	1581	1933
2200	32.4	2301	390	1783	1950	—
2400	34.8	2507	410	2168	2370	—
2600	37.2	2713	480	2699	2934	—

6.3.2 承套（图 6-16 和表 6-21）

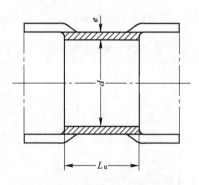

图 6-16 承套

表 6-21 承套尺寸 （mm）

DN	e	d	L_u	重量/kg
100	7.2	130	160	14.7
150	7.8	183	165	20.3
200	8.4	235	170	27.4
250	9	288	175	34.3
300	9.6	340	180	51.8
350	10.2	393	185	62.4

DN	e	d	L_u	重量/kg
400	10.8	445	190	74.4
450	11.4	498	195	96.2
500	12	550	200	98.8
600	13.2	655	210	125
700	14.4	760	220	202
800	15.6	865	230	250
900	16.8	970	240	319
1000	18	1075	250	349
1200	20.4	1285	270	560
1400	22.8	1492	340	816
1600	25.2	1699	360	1094
1800	27.6	1906	380	1426
2000	30	2113	400	1818
2200	32.4	2320	420	2271
2400	34.8	2527	440	2794
2600	37.2	2734	460	3389

6.3.3 双承和承插 90°（1/4）弯管（图 6-17 和表 6-22）

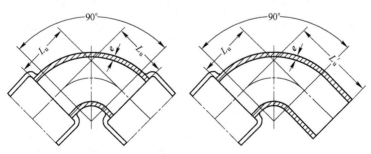

图 6-17 双承和承插 90°（1/4）弯管

表 6-22　双承和承插 90°（1/4）弯管尺寸　　（mm）

DN	e	L_u	L'_u	重量/kg	
				双承	承插
100	7.2	120	300	16.2	14.3
150	7.8	170	350	25.5	23.9
200	8.4	220	400	37.4	36.4
250	9	270	450	51.3	51.6
300	9.6	320	500	78.8	75
350	10.2	370	550	109	105
400	10.8	420	600	139	135
450	11.4	470	670	172	169
500	12	520	720	210	208
600	13.2	620	820	300	299
700	14.4	720	900	428	428
800	15.6	820	1000	572	572
900	16.8	920	1100	778	778
1000	18	1020	1200	986	986
1200	20.4	1220	1400	1624	1624
1400	22.8	1220	1600	2419	2419
1600	25.2	1290	1800	3014	2887
1800	27.6	1320	2000	3833	3649
2000	30	1360	2200	4783	4567
2200	32.4	1400	2400	5884	5587
2400	34.8	1460	2600	7205	6810
2600	37.2	1520	2800	8705	8193

6.3.4 双承和承插45°（1/8）弯管（图6-18和表6-23）

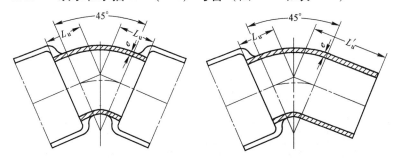

图6-18 双承和承插45°（1/8）弯管

表6-23 双承和承插45°（1/8）弯管尺寸 （mm）

DN	e	L_u	L'_u	重 量/kg	
				双承	承插
100	7.2	65	245	14.9	13
150	7.8	85	265	22.5	20.7
200	8.4	110	290	31.4	30.4
250	9	130	310	41.3	41.6
300	9.6	150	330	63.8	42.9
350	10.2	175	355	80.4	76.5
400	10.8	195	375	99.4	95.1
450	11.4	220	420	132	129
500	12	240	440	145	142
600	13.2	285	485	198	198
700	14.4	330	580	302	302
800	15.6	370	620	395	395
900	16.8	415	665	539	539
1000	18	460	760	710	710
1200	20.4	550	850	1109	1109
1400	22.8	515	815	1632	1632

DN	e	L_u	L'_u	重 量/kg	
				双承	承插
1600	25.2	565	925	1693	1693
1800	27.6	610	970	2222	2222
2000	30	660	1060	3020	3020
2200	32.4	710	1110	3757	3460
2400	34.8	755	1155	4659	4264
2600	37.2	805	1205	5714	5202

6.3.5 双承和承插 22.5°（1/16）弯管（图 6-19 和表 6-24）

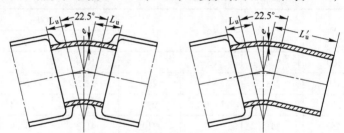

图 6-19 双承和承插 22.5°（1/16）弯管

表 6-24 双承和承插 22.5°（1/16）弯管尺寸 （mm）

DN	e	L_u	L'_u	重 量/kg	
				双承	承插
100	7.2	40	220	14.1	12.2
150	7.8	55	235	21	19.3
200	8.4	65	245	28.4	27.4
250	9	75	255	36.3	36.6
300	9.6	85	265	55.3	51.6
350	10.2	95	275	68.4	64.2
400	10.8	110	290	84.4	84.7

DN	e	L_u	L'_u	重　量/kg	
				双承	承插
450	11.4	120	320	110	111
500	12	130	330	117	119
600	13.2	150	350	154	159
700	14.4	175	425	240	240
800	15.6	195	445	308	308
900	16.8	220	470	417	417
1000	18	240	540	550	550
1200	20.4	285	585	851	851
1400	22.8	260	560	1241	1241
1600	25.2	280	640	1377	1377
1800	27.6	305	665	1837	1837
2000	30	330	730	2373	2373
2200	32.4	355	755	2705	2408
2400	34.8	380	780	3358	2963
2600	37.2	400	800	4085	3573

6.3.6　双承和承插 11.25° （1/32） 弯管 （图 6-20 和表 6-25）

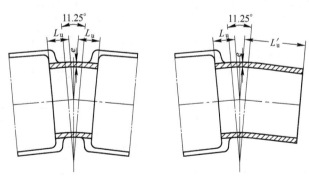

图 6-20　双承和承插 11.25° （1/32） 弯管

表 6-25　双承和承插 11.25°（1/32）弯管尺寸　　　（mm）

DN	e	L_u	L'_u	重　量/kg	
				双承	承插
100	7.2	30	210	13.7	11.7
150	7.8	35	215	17.3	15.7
200	8.4	40	220	26.4	25.4
250	9	50	230	33.3	33.6
300	9.6	55	235	51.3	47.6
350	10.2	60	240	62.4	58.5
400	10.8	65	245	75.4	75.7
450	11.4	70	270	100	101
500	12	75	275	102	104
600	13.2	85	285	130	136
700	14.4	95	345	208	208
800	15.6	110	360	263	263
900	16.8	120	370	359	359
1000	18	130	430	473	473
1200	20.4	150	450	724	724
1400	22.8	130	430	1047	1047
1600	25.2	140	500	1134	1134
1800	27.6	155	515	1549	1549
2000	30	165	565	1985	1985
2200	32.4	190	590	2181	1884
2400	34.8	205	605	2707	2312
2600	37.2	215	615	3288	2776

6.3.7 双承单支盘丁字管（图 6-21 和表 6-26）

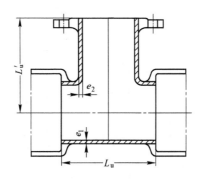

图 6-21 双承单支盘丁字管

表 6-26 双承单支盘丁字管尺寸 （mm）

DN × dn	主 管		支 管		重 量/kg		
	e_1	L_u	e_2	L'_u	PN10	PN16	PN25
100 × 80	7. 2	170	7	175	20	20	20
100 × 100	7. 2	190	7. 2	180	22	22	22
150 × 80	7. 8	170	7	205	28	28	28
150 × 100	7. 8	195	7. 2	210	29. 5	29. 5	29. 5
150 × 150	7. 8	255	7. 8	220	34. 5	34. 5	34. 5
200 × 80	8. 4	175	7	235	36	36	36
200 × 100	8. 4	200	7. 2	240	38	38	38
200 × 150	8. 4	255	7. 8	250	43. 4	43. 4	43. 4
200 × 200	8. 4	315	8. 4	260	50	50. 4	52
250 × 80	9	180	7	265	46. 6	45. 6	45. 6
250 × 100	9	200	7. 2	270	46	46	46. 5
250 × 150	9	260	7. 8	280	59	59	60
250 × 200	9	315	8. 4	290	60	60	62
250 × 250	9	375	9	300	67. 6	68. 6	71. 6

DN × dn	主 管		支 管		重 量/kg		
	e_1	L_u	e_2	L'_u	PN10	PN16	PN25
300 × 100	9.6	205	7.2	300	66	66	67
300 × 150	9.6	260	7.8	310	79	79	80
300 × 200	9.6	320	8.4	320	82	80	84
300 × 250	9.6	380	9	330	94	91	96
300 × 300	9.6	435	9.6	340	100	102	106
350 × 100	10.2	205	7.2	330	78	78	78
350 × 150	10.2	270	7.8	340	93	93	93
350 × 200	10.2	325	8.4	350	96	96	98
350 × 250	10.2	385	9	360	114	124	135
350 × 350	10.2	495	10.2	380	127	130	139
400 × 100	10.8	210	7.2	360	93	93	93
400 × 150	10.8	270	7.8	370	108	108	108
400 × 200	10.8	325	8.4	380	113	112	114
400 × 250	10.8	385	9	390	127	128	132
400 × 300	10.8	440	9.6	400	141	141	147
400 × 400	10.8	560	10.8	420	160	166	167
450 × 100	11.4	215	7.2	390	115	115	116
450 × 150	11.4	270	7.8	400	127	127	128
450 × 200	11.4	330	8.4	410	138	138	140
450 × 250	11.4	390	9	420	149	149	153
450 × 300	11.4	445	9.6	430	162	162	168
450 × 400	11.4	560	10.8	450	188	193	204
450 × 450	11.4	620	11.4	460	200	209	224
500 × 100	12	215	7.2	420	122	122	122
500 × 200	12	330	8.4	440	146	147	149
500 × 400	12	565	10.8	480	205	211	222

DN × dn	主 管		支 管		重 量/kg		
	e_1	L_u	e_2	L'_u	PN10	PN16	PN25
500 × 500	12	680	12	500	238	253	265
600 × 200	13.2	340	8.4	500	185	185	188
600 × 400	13.2	570	10.8	540	254	259	270
600 × 600	13.2	800	13.2	580	336	363	376
700 × 200	14.4	345	8.4	525	249	249	251
700 × 400	14.4	575	10.8	555	329	334	345
700 × 700	14.4	925	14.4	600	476	488	525
800 × 200	15.6	350	8.4	585	302	301	303
800 × 400	15.6	580	10.8	615	396	401	412
800 × 600	15.6	1045	13.2	645	579	603	614
800 × 800	15.6	1045	15.6	675	631	646	699
900 × 200	16.8	355	8.4	645	371	371	373
900 × 400	16.8	590	10.8	675	484	488	499
900 × 600	16.8	1170	13.2	705	745	769	783
900 × 900	16.8	1170	16.8	750	822	841	907
1000 × 200	18	360	8.4	705	467	467	469
1000 × 400	18	595	10.8	735	598	603	614
1000 × 600	18	1290	13.2	765	958	982	994
1000 × 1000	18	1290	18	825	1072	1106	1192
1200 × 600	20.4	840	13.2	885	1031	1055	1067
1200 × 800	20.4	1070	15.6	915	1227	1242	1295
1200 × 1000	20.4	1300	18	945	1436	1470	1556
1400 × 600	22.8	1030	13.2	980	1478	1505	1519
1400 × 800	22.8	1260	15.6	1010	1709	1728	1777
1400 × 1000	22.8	1495	18	1040	1956	1996	2075
1600 × 600	25.2	1040	13.2	1090	1831	1854	1866

DN × dn	主 管		支 管		重 量/kg		
	e_1	L_u	e_2	L'_u	PN10	PN16	PN25
1600 × 800	25.2	1275	15.6	1120	2121	2136	2189
1600 × 1000	25.2	1505	18	1150	2416	2451	2536
1600 × 1200	25.2	1740	20.4	1180	2743	2798	2907
1800 × 600	27.6	1055	13.2	1200	2302	2326	2337
1800 × 800	27.6	1285	15.6	1230	2642	2657	2710
1800 × 1000	27.6	1520	18	1260	2998	3032	3118
1800 × 1200	27.6	1750	20.4	1290	3371	3426	3535
2000 × 600	30	1065	13.2	1310	2830	2853	2865
2000 × 1000	30	1530	18	1370	3648	3682	3768
2000 × 1400	30	1995	22.8	1430	4523	4580	4743

6.3.8 全承丁字管（图 6-22 和表 6-27）

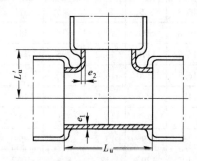

图 6-22 全承丁字管

表 6-27 全承丁字管尺寸 （mm）

DN	dn	主 管		支 管		重量/kg
		e_1	L_u	e_2	L'_u	
80	80	7	170	7	85	17.7
100	80	7.2	170	7	95	21.5
	100	7.2	190	7.2	95	23.2

DN	dn	主 管		支 管		重量/kg
		e_1	L_u	e_2	L'_u	
150	80	7.8	170	7	120	29.2
	100	7.8	195	7.2	120	31
	150	7.8	255	7.8	125	35.6
200	80	8.4	175	7	145	37.9
	100	8.4	200	7.2	145	38.8
	150	8.4	255	7.8	150	44
	200	8.4	315	8.4	155	49.6
250	100	9	200	7.2	170	47.9
	150	9	260	7.8	175	56.4
	200	9	315	8.4	180	60.9
	250	9	375	9	190	67.4
300	100	9.6	205	7.2	195	67.4
	150	9.6	260	7.8	200	77.6
	200	9.6	320	8.4	205	82.9
	250	9.6	375	9	210	92.1
	300	9.6	435	9.6	220	102
350	100	10.2	210	7.2	225	80
	150	10.2	260	7.8	230	92.6
	200	10.2	320	8.4	235	97.5
	250	10.2	380	9	240	109
	350	10.2	495	10.2	250	131
400	100	10.8	210	7.2	245	95
	150	10.8	270	7.8	250	110

DN	dn	主　管		支　管		重量/kg
		e_1	L_u	e_2	L'_u	
450	100	11.4	215	7.2	270	116
	150	11.4	270	7.8	275	126
	200	11.4	330	8.4	285	137
	250	11.4	390	9	290	147
	300	11.4	445	9.6	295	163
	400	11.4	560	10.8	305	186
	450	11.4	620	11.4	310	198
500	100	12	215	7.2	295	123
	200	12	330	8.4	310	149
	400	12	565	10.8	330	210
	500	12	680	12	340	242
600	200	13.2	340	8.4	360	187
	400	13.2	570	10.8	380	260
	600	13.2	800	13.2	400	338
700	200	14.4	345	8.4	405	250
	400	14.4	575	10.8	430	329
	700	14.4	925	14.4	460	470
800	200	15.6	350	8.4	455	305
	400	15.6	580	10.8	480	398
	600	15.6	815	13.2	500	497
	800	15.6	1045	15.6	525	618
900	200	16.8	355	8.4	505	382
	400	16.8	590	10.8	530	491
	600	16.8	820	13.2	550	602
	900	16.8	1170	16.8	585	815
1000	200	18	360	8.4	555	503
	400	18	595	10.8	580	628
	600	18	825	13.2	600	754
	1000	18	1290	18	645	1096

DN	dn	主 管		支 管		重量/kg
		e_1	L_u	e_2	L'_u	
1200	600	20.4	840	13.2	700	1050
	800	20.4	1070	15.6	725	1226
	1000	20.4	1300	18	745	1447
1400	600	22.8	850	13.2	800	1300
	800	22.8	1080	15.6	825	1514
	1000	22.8	1315	18	845	1774
1600	600	25.2	860	13.2	900	1684
	800	25.2	1095	15.6	925	1948
	1000	25.2	1325	18	945	2246
	1200	25.2	1560	20.4	965	2564
1800	600	27.6	875	13.2	1000	2139
	800	27.6	1105	15.6	1025	2450
	1000	27.6	1340	18	1045	2805
	1200	27.6	1570	20.4	1065	3162
2000	600	30	885	13.2	1100	2660
	1000	30	1350	18	1145	3437
	1400	30	1815	22.8	1190	4244

6.3.9　双承丁字管（图 6-23 和表 6-28）

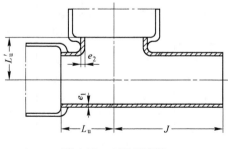

图 6-23　双承丁字管

表 6-28　双承丁字管尺寸　　　　　　（mm）

DN × dn	e_1	e_2	L_u	J	L'_u	重量/kg
100 × 100	7.2	7.2	95	275	95	21.7
150 × 100	7.8	7.2	100	280	120	29.5
150 × 150	7.8	7.8	130	310	125	34
200 × 100	8.4	7.2	100	280	145	37.8
200 × 150	8.4	7.8	130	310	150	42.9
200 × 200	8.4	8.4	160	340	155	48.4
250 × 100	9.0	7.2	100	280	175	47.6
250 × 150	9.0	7.8	130	310	175	55.8
250 × 200	9.0	8.4	160	340	180	60.3
250 × 250	9.0	9.0	190	370	190	66.8
300 × 100	9.6	7.2	105	285	195	65.3
300 × 150	9.6	7.8	130	310	200	75.1
300 × 200	9.6	8.4	160	340	205	79.9
300 × 250	9.6	9.0	190	370	210	89.5
300 × 300	9.6	9.6	220	400	220	100
350 × 200	10.2	8.4	160	340	235	94.5
350 × 250	10.2	9.0	190	370	240	106
350 × 300	10.2	9.6	220	400	245	120
350 × 350	10.2	10.2	250	430	250	129
400 × 200	10.8	8.4	165	345	255	110
400 × 250	10.8	9.0	195	375	260	125
400 × 300	10.8	9.6	220	400	270	138
400 × 350	10.8	10.2	250	430	275	149
400 × 400	10.8	10.8	280	460	280	163
500 × 250	12.0	9.0	195	395	315	165
500 × 300	12.0	9.6	225	425	320	182
500 × 350	12.0	10.2	255	455	325	194
500 × 400	12.0	10.8	285	485	330	207
500 × 500	12.0	12.0	340	540	340	237

DN × dn	e_1	e_2	L_u	J	L'_u	重量/kg
600 × 300	13.2	9.6	230	430	370	234
600 × 350	13.2	10.2	255	455	375	245
600 × 400	13.2	10.8	285	485	380	256
600 × 500	13.2	12.0	345	545	390	289
600 × 600	13.2	13.2	400	600	400	332
700 × 300	14.4	9.6	230	480	420	290
700 × 350	14.4	10.2	260	510	425	310
700 × 400	14.4	10.8	290	540	430	329
700 × 500	14.4	12.0	345	595	440	370
700 × 600	14.4	13.2	405	655	450	416
700 × 700	14.4	14.4	465	715	460	470
800 × 400	15.6	10.8	290	540	480	398
800 × 500	15.6	12.0	350	600	490	447
800 × 600	15.6	13.2	410	660	500	497
800 × 800	15.6	15.6	525	775	525	618
900 × 500	16.8	12.0	350	600	540	546
900 × 600	16.8	13.2	410	660	550	602
900 × 700	16.8	14.4	470	720	560	667
900 × 900	16.8	16.8	585	835	585	815
1000 × 600	18	13.2	415	715	600	754
1000 × 700	18	14.4	470	770	610	825
1000 × 800	18	16.8	530	830	625	901
1000 × 1000	18	18	645	945	645	1096
1200 × 800	20.4	15.6	535	835	725	1226
1200 × 900	20.4	16.8	595	895	735	1325
1200 × 1000	20.4	18	650	950	745	1447
1200 × 1200	20.4	20.4	770	1070	770	1697
1400 × 900	22.8	16.8	600	900	835	1635
1400 × 1000	22.8	18	660	960	845	1774
1400 × 1200	22.8	20.4	775	1075	865	2049
1400 × 1400	22.8	22.8	890	1190	890	2323

6.3.10 双承渐缩管（图 6-24 和表 6-29）

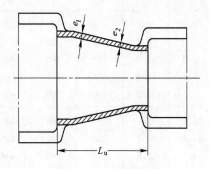

图 6-24 双承渐缩管

表 6-29 双承渐缩管尺寸 　　　　　（mm）

大 径		小 径		L_u	重量/kg
DN	e_1	dn	e_2		
100	7.2	80	7	90	12.3
125	7.5	80	7	140	15.6
	7.5	100	7.2	100	16.9
150	7.8	80	7	190	17.5
	7.8	100	7.2	150	18.7
	7.8	125	7.5	100	20.1
200	8.4	100	7.2	250	25.2
	8.4	125	7.5	200	—
	8.4	150	7.8	150	26
250	9	125	7.5	300	33.8
	9	150	7.8	250	33.2
	9	200	8.4	150	33
300	9.6	150	7.8	350	46.9
	9.6	200	8.4	250	46.9
	9.6	250	9	150	45.7

大 径		小 径		L_u	重量/kg
DN	e_1	dn	e_2		
350	10.2	200	8.4	360	60.1
	10.2	250	9	260	62.1
	10.2	300	9.6	160	64.9
400	10.8	250	9	360	77.2
	10.8	300	9.6	260	80.1
	10.8	350	10.2	160	78
500	12	350	10.2	360	115
	12	400	10.8	260	111
600	13.2	400	10.8	460	156
	13.2	500	12	260	145
700	14.4	500	12	480	204
	14.4	600	13.2	280	187
800	15.6	600	13.2	480	257
	15.6	700	14.4	280	236
900	16.8	700	14.4	480	327
	16.8	800	15.6	280	294
1000	18	800	15.6	480	403
	18	900	16.8	280	368
1200	20.4	1000	18	480	580
1400	22.8	1200	20.4	360	698
1600	25.2	1400	22.8	360	936
1800	27.6	1600	25.2	360	1234
2000	30	1800	27.6	360	1565

大 径		小 径		L_u	重量/kg
DN	e_1	dn	e_2		
2200	32. 4	2000	30	360	1944
2400	34. 8	2200	32. 4	360	2380
2600	37. 2	2400	34. 8	360	2876

6. 3. 11 双承和承插乙字弯管（图 6-25 和表 6-30）

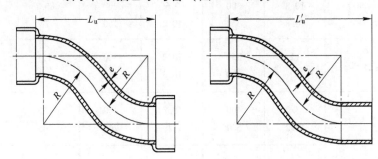

图 6-25　双承和承插乙字弯管

表 6-30　双承和承插乙字弯管尺寸 　　　　　（mm）

DN	e	L_u	L'_u	R	重量/kg	
					双承	承插
100	7. 2	350	510	150	23. 5	12. 9
150	7. 8	355	515	150	41. 3	20. 4
200	8. 4	450	630	200	56	32. 6
250	9. 0	535	715	250	73. 2	48. 6
300	9. 6	640	820	300	102	75. 9
350	10. 2	680	860	350	133	97. 9
400	10. 8	820	1000	400	171	133
500	12. 0	1010	1210	500	261	218
600	13. 2	1200	1400	600	379	338
700	14. 4	1380	1630	700	509	478

6.3.12 全承十字管（图 6-26 和表 6-31）

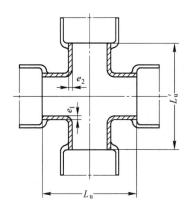

图 6-26 全承十字管

表 6-31 全承十字管尺寸 （mm）

DN × dn	e_1	e_2	L_u	L'_u	重量/kg
100 × 100	7.2	7.2	190	95	29.3
150 × 100	7.8	7.2	195	120	36.4
150 × 150	7.8	7.8	255	125	43.8
200 × 100	8.4	7.2	200	145	43.4
200 × 150	8.4	7.8	255	150	51.2
200 × 200	8.4	8.4	315	155	59.7
250 × 100	9.0	7.2	200	170	52.4
250 × 150	9.0	7.8	260	175	65.8
250 × 200	9.0	8.4	315	180	71.4
250 × 250	9.0	9.0	375	190	80.7
300 × 100	9.6	7.2	205	195	71.2
300 × 150	9.6	7.8	260	200	87
300 × 200	9.6	8.4	320	205	92.8
300 × 250	9.6	9.0	375	210	107
300 × 300	9.6	9.6	435	220	123

DN×dn	e_1	e_2	L_u	L'_u	重量/kg
350×200	10.2	8.4	320	235	107
350×250	10.2	9.0	380	240	123
350×300	10.2	9.6	440	245	144
350×350	10.2	10.2	495	250	157
400×200	10.8	8.4	325	255	122
400×250	10.8	9.0	385	265	143
400×300	10.8	9.6	440	270	163
400×350	10.8	10.2	500	275	178
400×400	10.8	10.8	560	280	198
500×250	12.0	9.0	390	315	183
500×300	12.0	9.6	450	320	208
500×350	12.0	10.2	505	325	223
500×400	12.0	10.8	565	330	239
500×500	12.0	12.0	680	340	284
600×300	13.2	9.6	455	370	256
600×350	13.2	10.2	510	375	274
600×400	13.2	10.8	570	380	284
600×500	13.2	12.0	685	390	332
600×600	13.2	13.2	800	400	392
700×350	14.4	10.2	520	425	410
700×400	14.4	10.8	575	430	441
700×500	14.4	12.0	690	440	510
700×600	14.4	13.2	810	450	589
700×700	14.4	14.4	925	460	691
800×400	15.6	10.8	580	480	527
800×500	15.6	12.0	700	490	608
800×600	15.6	13.2	815	500	692
800×700	15.6	14.4	930	510	796
800×800	15.6	15.6	1045	525	914

DN × dn	e_1	e_2	L_u	L'_u	重量/kg
900 × 500	16.8	12.0	705	540	729
900 × 600	16.8	13.2	820	550	823
900 × 700	16.8	14.4	935	560	930
900 × 800	16.8	15.6	1050	575	1052
900 × 900	16.8	16.8	1170	585	1205
1000 × 600	18	13.2	825	600	1003
1000 × 700	18	14.4	940	610	1120
1000 × 800	18	15.6	960	625	1251
1000 × 900	18	16.8	1175	635	1404
1000 × 1000	18	18	1290	645	1612
1200 × 800	20.4	15.6	1070	725	1652
1200 × 900	20.4	16.8	1185	735	1818
1200 × 1000	20.4	18	1300	745	2034
1200 × 1100	20.4	19.2	1420	755	2201
1200 × 1200	20.4	20.4	1535	765	2497
1400 × 900	22.8	16.8	1200	835	2232
1400 × 1000	22.8	18	1315	845	2468
1400 × 1100	22.8	19.2	1430	855	2639
1400 × 1200	22.8	20.4	1545	865	2940
1400 × 1400	22.8	22.8	1780	890	3446

6.3.13 插堵 (图 6-27 和表 6-32)

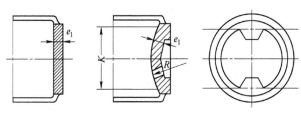

图 6-27 插堵

表 6-32 插堵尺寸 （mm）

DN	e_1	K 和 R	重量/kg
100	18		8.5
150	18		12.3
200	18	—	18.4
250	19.5		22
300	23	—	34
350	24	315	47.3
400	25	370	56
450	26	420	—
500	27	460	83
600	29.5	565	138
700	31	665	170
800	33	760	225
900	35	860	300
1000	37	960	370
1200	41	1160	580
1400	43	1260	1027

6.3.14 承堵（图 6-28 和表 6-33）

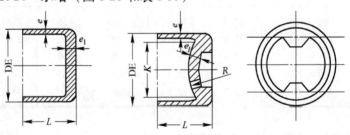

图 6-28 承堵

表 6-33 承堵尺寸 （mm）

DN	DE	e_1	e	K 和 R	L	重量/kg
100	118	18	7.2		200	2.8
150	170	18	7.8	—	225	4.7
200	222	18	8.4		250	8

DN	DE	e_1	e	K 和 R	L	重量/kg
250	274	19.5	9.0	—	250	10.2
300	326	23	9.6	—	275	13.4
350	378	24	10.2	315	275	21
400	429	25	10.8	370	275	26.5
450	480	26	11.4	420	275	32.1
500	532	27	12	460	275	43.2
600	635	29.5	13.2	565	300	55.3
700	738	31	14.4	665	300	166
800	842	33	15.6	760	300	250
900	945	35	16.8	860	350	333
1000	1048	37	18	960	350	434
1200	1255	41	20.4	1160	350	671
1400	1462	43	22.4	1260	350	1110

6.4　N_{II} 型和 S_{II} 型管件

6.4.1　盘承套管（图 6-29 和表 6-34）

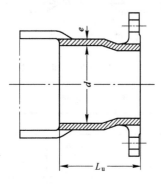

图 6-29　盘承套管

表 6-34 盘承套管尺寸 （mm）

DN	e	d	L_u	重　量/kg		
				PN10	PN16	PN25
100	7.2	130	130	16.4	16.4	16.4
150	7.8	183	135	23.2	23.2	24.2
200	8.4	235	140	31.1	30.8	32.9
250	9	288	145	41.0	40.4	44.3
300	9.6	340	150	51.2	50.8	56.4
350	10.2	393	155	60.9	63.6	71.9
400	10.8	445	160	71.7	77.3	88.6
500	12	550	170	95.6	111	123
600	13.2	655	180	125	152	166
700	14.4	760	190	167	182	214

6.4.2　承套（图6-30和表6-35）

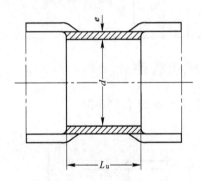

图 6-30　承套

表 6-35　承套尺寸　　　（mm）

DN	e	L_u	d	重量/kg
100	7.2	160	130	24
150	7.8	165	183	33.2
200	8.4	170	235	43.5

DN	e	L_u	d	重量/kg
250	9.0	175	288	55.6
300	9.6	180	340	67.9
350	10.2	185	393	81.4
400	10.8	190	445	96.7
500	12.0	200	550	127
600	13.2	210	655	160
700	14.4	220	760	211

6.4.3 双承和承插90°（1/4）弯管（图6-31和表6-36）

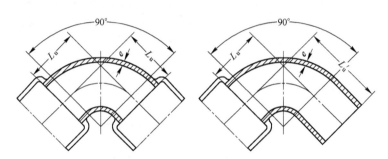

图 6-31 双承和承插 90°（1/4）弯管

表 6-36 双承和承插90°（1/4）弯管尺寸 （mm）

DN	e	L_u	L'_u	重量/kg	
				双承	承插
100	7.2	120	300	24.1	18
150	7.8	170	350	35.6	27.8
200	8.4	220	400	50	40.8
250	9.0	270	450	68.2	57.4
300	9.6	320	500	89.3	77.2
350	10.2	370	550	123	110
400	10.8	420	600	156	141
500	12.0	520	720	235	221

DN	e	L_u	L'_u	重 量/kg	
				双承	承插
600	13.2	620	820	334	320
700	14.4	720	900	467	460

6.4.4 双承和承插45°（1/8）弯管（图6-32和表6-37）

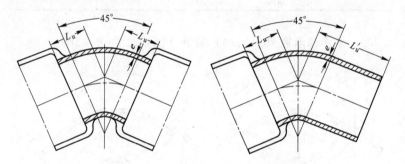

图 6-32 双承和承插 45°（1/8）弯管

表 6-37 双承和承插 45°（1/8）弯管尺寸 （mm）

DN	e	L_u	L'_u	重 量/kg	
				双承	承插
100	7.2	65	245	22.8	16.7
150	7.8	85	265	32.4	24.6
200	8.4	110	290	44.2	35
250	9.0	130	310	58.4	47.6
300	9.6	150	330	73.9	61.8
350	10.2	175	355	92.4	79.1
400	10.8	195	375	113	98
500	12.0	240	440	160	146
600	13.2	285	485	218	204
700	14.4	330	580	303	295

6.4.5 双承和承插 22.5°（1/16）弯管（图 6-33 和表 6-38）

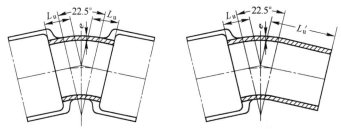

图 6-33　双承和承插 22.5°（1/16）弯管

表 6-38　双承和承插 22.5°（1/16）弯管尺寸　　　（mm）

DN	e	L_u	L'_u	重　量/kg	
				双承	承插
100	7.2	40	220	22	15.9
150	7.8	55	235	30.9	23.1
200	8.4	65	245	40.9	31.7
250	9.0	75	255	53.1	42.3
300	9.6	85	265	65.9	53.8
350	10.2	95	275	80.2	66.9
400	10.8	110	290	97.8	82.5
500	12.0	130	330	132	119
600	13.2	150	350	173	159
700	14.4	175	425	237	230

6.4.6 双承和承插 11.25°（1/32）弯管（图 6-34 和表 6-39）

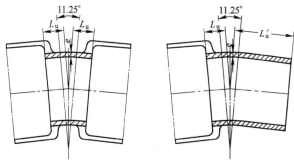

图 6-34　双承和承插 11.25°（1/32）弯管

表 6-39 双承和承插 11.25°（1/32）弯管尺寸 （mm）

DN	e	L_u	L'_u	重 量/kg	
				双承	承插
100	7.2	30	210	21.7	15.6
150	7.8	35	215	29.8	22
200	8.4	40	220	39	29.8
250	9.0	50	230	50.5	39.7
300	9.6	55	235	62	49.9
350	10.2	60	240	74.5	61.2
400	10.8	65	245	89	73.7
500	12.0	75	275	118	104
600	13.2	85	285	150	136
700	14.4	95	345	201	194

6.4.7 双承单支盘丁字管（图 6-35 和表 6-40）

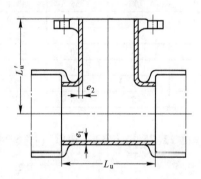

图 6-35 双承单支盘丁字管

表 6-40 双承单支盘丁字管尺寸 （mm）

DN × dn	e_1	L_u	e_2	L'_u	重 量/kg		
					PN10	PN16	PN25
100 × 80	7.2	170	7	175	28.0	28.0	28.0
100 × 100	7.2	190	7.2	180	29.2	29.2	29.2

DN × dn	e_1	L_u	e_2	L'_u	重 量/kg		
					PN10	PN16	PN25
150 × 80	7.8	170	7	205	36.9	36.9	36.9
150 × 100	7.8	195	7.2	210	38.1	38.1	38.1
150 × 150	7.8	255	7.8	220	43.1	43.1	44.1
200 × 80	8.4	175	7	235	47.1	47.1	47.1
200 × 100	8.4	200	7.2	240	48.9	48.9	48.9
200 × 150	8.4	255	7.8	250	54.0	54.0	55
200 × 20	8.4	315	8.4	260	60.1	59.8	61.9
250 × 80	9	180	7	265	59.1	59.1	59.1
250 × 100	9	200	7.2	270	61.0	61.0	61
250 × 150	9	260	7.8	280	67.0	67.0	68
250 × 200	9	315	8.4	290	73.5	73.2	75.3
250 × 250	9	375	9	300	81.7	81.1	85
300 × 80	9.6	180	7	295	71.1	71.1	71.1
300 × 100	9.6	205	7.2	300	73.6	73.6	73.6
300 × 150	9.6	260	7.8	310	80.1	80.1	81.1
300 × 200	9.6	320	8.4	320	87.7	87.4	89.5
300 × 250	9.6	380	9	330	96.6	96.0	99.9
300 × 300	9.6	435	9.6	340	106	106	111
350 × 100	10.2	205	7.2	330	86.9	86.9	86.9
350 × 150	10.2	270	7.8	340	95	95.0	96
350 × 200	10.2	325	8.4	350	103	103	105
350 × 250	10.2	385	9	360	113	112	116
350 × 350	10.2	495	10.2	380	132	135	143
400 × 100	10.8	210	7.2	360	102	102	102
400 × 150	10.8	270	7.8	370	111	111.0	112
400 × 200	10.8	325	8.4	380	120	120	122
400 × 250	10.8	385	9	390	131	130	134
400 × 300	10.8	440	9.6	400	141	141	147
400 × 400	10.8	560	10.8	420	164	169	181

DN × dn	e_1	L_u	e_2	L'_u	重 量/kg		
					PN10	PN16	PN25
500 × 100	12	210	7. 2	420	131	131	131
500 × 200	12	330	8. 4	440	153	153	155
500 × 400	12	565	10. 8	480	204	210	221
500 × 500	12	680	12	500	235	250	262
600 × 200	13. 2	340	8. 4	500	192	192	194
600 × 400	13. 2	570	10. 8	540	252	258	269
600 × 600	13. 2	800	13. 2	580	329	355	369
700 × 200	14. 4	345	8. 4	525	246	246	248
700 × 400	14. 4	575	10. 8	555	314	320	331
700 × 700	14. 4	925	14. 4	600	445	460	492

6.4.8　全承丁字管（图 6-36 和表 6-41）

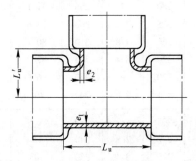

图 6-36　全承丁字管

表 6-41　全承丁字管尺寸　　　　　　　　（mm）

DN	dn	e_1	L_u	e_2	L'_u	重量/kg
100	100	7. 2	190	7. 2	95	34. 7
150	100	7. 8	195	7. 2	120	43. 9
	150	7. 8	255	7. 8	125	49. 5

DN	dn	e_1	L_u	e_2	L'_u	重量/kg
200	100	8.4	200	7.2	145	54.3
	150	8.4	255	7.8	150	60.2
	200	8.4	315	8.4	155	67.0
250	100	9	200	7.2	170	66.2
	150	9	260	7.8	175	73.1
	200	9	315	8.4	180	80.1
	250	9	375	9	190	88.8
300	100	9.6	205	7.2	195	78.8
	150	9.6	260	7.8	200	86.0
	200	9.6	320	8.4	205	94.1
	250	9.6	375	9	210	103
	300	9.6	435	9.6	220	112
350	100	10.2	210	7.2	225	92
	150	10.2	260	7.8	230	100
	200	10.2	320	8.4	235	109
	250	10.2	380	9	240	119
	350	10.2	495	10.2	250	139
400	100	10.8	210	7.2	245	107
	150	10.8	270	7.8	250	117
500	100	12	215	7.2	295	137
	200	12	330	8.4	310	160
	400	12	565	10.8	330	212
	500	12	680	12	340	240
600	200	13.2	340	8.4	360	197
	400	13.2	570	10.8	380	258
	600	13.2	800	13.2	400	324
700	200	14.4	345	8.4	405	253
	400	14.4	575	10.8	430	323
	700	14.4	925	14.4	460	448

6.4.9 双承丁字管（图 6-37 和表 6-42）

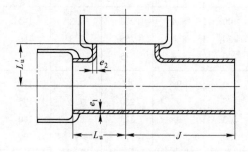

图 6-37 双承丁字管

表 6-42 双承丁字管尺寸 （mm）

DN	dn	e_1	e_2	L_u	J	L'_u	重量/kg
100	100	7.2	7.2	95	275	95	27.6
150	100	7.8	7.2	100	280	120	35.2
	150	7.8	7.8	130	310	125	40.8
200	100	8.4	7.2	100	280	145	43.6
	150	8.4	7.8	130	310	150	49.7
	200	8.4	8.4	160	340	155	56.5
250	100	9	7.2	100	280	175	53.1
	150	9	7.8	130	310	175	60
	200	9	8.4	160	340	180	67.3
	250	9	9	190	370	190	76
300	100	9.6	7.2	105	285	195	64
	150	9.6	7.8	130	310	200	70.8
	200	9.6	8.4	160	340	205	78.9
	250	9.6	9	190	370	210	87.8
	300	9.6	9.6	220	400	220	97.5
350	200	10.2	8.4	160	340	235	91.8
	250	10.2	9	190	370	240	102
	300	10.2	9.6	220	400	245	112
	350	10.2	10.2	250	430	250	122

DN	dn	e_1	e_2	L_u	J	L'_u	重量/kg
400	200	10.8	8.4	165	345	255	106
	250	10.8	9.0	195	375	260	117
	300	10.8	9.6	220	400	270	127
	350	10.8	10.2	250	430	275	139
	400	10.8	10.8	280	460	280	151
500	250	12.0	9.0	195	395	315	152
	300	12.0	9.6	225	425	320	164
	350	12.0	10.2	255	455	325	178
	400	12.0	10.8	285	485	330	191
	500	12.0	12.0	340	540	340	234
600	300	13.2	9.6	230	430	370	204
	350	13.2	10.2	255	455	375	219
	400	13.2	10.8	285	485	380	234
	500	13.2	12.0	345	545	390	268
	600	13.2	13.2	400	600	400	302
700	300	14.4	9.6	230	480	420	267
	350	14.4	10.2	260	510	425	285
	400	14.4	10.8	290	540	430	298
	500	14.4	12	345	595	440	339
	600	14.4	13.2	405	655	450	378
	700	14.4	14.4	465	715	460	429

6.4.10 双承渐缩管（图 6-38 和表 6-43）

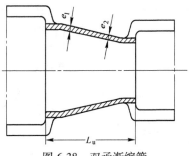

图 6-38　双承渐缩管

表 6-43　双承渐缩管尺寸　　　　　　（mm）

DN	dn	e_1	e_2	L_u	重量/kg
150	100	7.8	7.2	150	27.6
200	100	8.4	7.2	250	35.3
	150	8.4	7.8	150	36.9
250	150	9.0	7.8	250	46.5
	200	9.0	8.4	150	47.4
300	150	9.6	7.8	350	57.5
	200	9.6	8.4	250	58.5
	250	9.6	9.0	150	58.9
350	200	10.2	8.4	360	71.9
	250	10.2	9.0	260	72.5
	300	10.2	9.6	160	71.6
400	250	10.8	9.0	360	87.7
	300	10.8	9.6	260	86.9
	350	10.8	10.2	160	84.9
500	350	12.0	10.2	360	120
	400	12.0	10.8	260	117
600	400	13.2	10.8	460	161
	500	13.2	12.0	260	149
700	500	14.4	12	480	214
	600	14.4	13.2	280	195

6.4.11　双承和承插乙字弯管（图 6-39 和表 6-44）

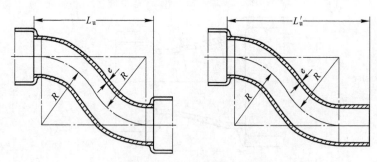

图 6-39　双承和承插乙字弯管

表 6-44　双承和承插乙字弯管尺寸　　　　（mm）

DN	e	L_u	L'_u	R	重　量/kg	
					双承	承插
100	7.2	350	510	150	24.9	17.3
150	7.8	355	515	150	35.9	25.9
200	8.4	450	630	200	52	39.5
250	9.0	535	715	250	72.5	57.1
300	9.6	640	820	300	99	80.8
350	10.2	680	860	350	124	103
400	10.8	820	1000	400	164	139
500	12.0	1010	1210	500	251	223
600	13.2	1200	1400	600	375	342
700	14.4	1380	1630	700	518	482

6.4.12　全承十字管（图 6-40 和表 6-45）

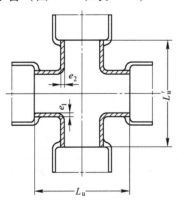

图 6-40　全承十字管

表 6-45　全承十字管尺寸　　　　（mm）

DN	dn	e_1	e_2	L_u	L'_u	重量/kg
100	100	7.2	7.2	190	95	45.4
150	100	7.8	7.2	195	120	54.5
	150	7.8	7.8	255	125	64

DN	dn	e_1	e_2	L_u	L'_u	重量/kg
200	100	8.4	7.2	200	145	64.8
	150	8.4	7.8	255	150	74.5
	200	8.4	8.4	315	155	85.6
250	100	9.0	7.2	200	170	76.7
	150	9.0	7.8	260	175	87.1
	200	9.0	8.4	315	180	98.4
	250	9.0	9.0	375	190	113
300	100	9.6	7.2	205	195	89.1
	150	9.6	7.8	260	200	99.9
	200	9.6	8.4	320	205	112
	250	9.6	9.0	375	210	126
	300	9.6	9.6	435	220	141
350	200	10.2	8.4	320	235	127
	250	10.2	9.0	380	240	142
	300	10.2	9.6	440	245	157
	350	10.2	10.2	495	250	173
400	200	10.8	8.4	325	255	143
	250	10.8	9.0	385	265	159
	300	10.8	9.6	440	270	174
	350	10.8	10.2	500	275	191
	400	10.8	10.8	560	280	211
500	250	12.0	9.0	390	315	194
	300	12.0	9.6	450	320	211
	350	12.0	10.2	505	325	229
	400	12.0	10.8	565	330	249
	500	12.0	12.0	680	340	304
600	300	13.2	9.6	455	370	252
	350	13.2	10.2	510	375	271
	400	13.2	10.8	570	380	293
	500	13.2	12.0	685	390	336
	600	13.2	13.2	800	400	385

DN	dn	e_1	e_2	L_u	L'_u	重量/kg
	350	14.4	10.2	520	425	333
	400	14.4	10.8	575	430	357
700	500	14.4	12	690	440	403
	600	14.4	13.2	810	450	454
	700	14.4	14.4	925	460	527

6.4.13 插堵（图6-41和表6-46）

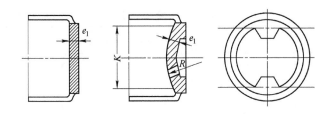

图 6-41 插堵

表 6-46 插堵尺寸 （mm）

DN	e_1	K 和 R	重量/kg
100	18		11.8
150	18	—	17.1
200	18		23.5
250	19.5		33.5
300	23	—	43
350	24	315	54
400	25	370	68
500	27	460	101
600	29.5	565	168

6.4.14 承堵（图6-42和表6-47）

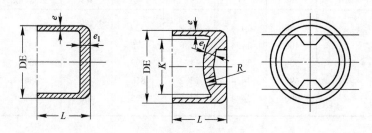

图6-42 承堵

表6-47 承堵尺寸 （mm）

DN	DE	e_1	e	K和R	L	重量/kg
100	118	18	7.2		200	7.8
150	170	18	7.8		225	10.5
200	222	18	8.4	—	250	15.6
250	274	19.5	9.0		250	23.5
300	326	23	9.6	—	275	29.5
350	378	24	10.2	315	275	43.5
400	429	25	10.8	370	275	55
500	532	27	12	460	275	80
600	635	29.5	13.2	565	300	117

6.5 盘接管件

6.5.1 盘插管（图6-43和表6-48）

$e = 12 \ (0.5 + 0.001\text{DN})$ 最小值为7mm

$$L_u = \begin{cases} 320 + 0.4\text{DN}（修约到 \pm 5） \\ \qquad\qquad\qquad \text{DN80} \sim 1200\text{mm}，最大值为600\text{mm} \\ 220 + 0.35\text{DN} \quad \text{DN1400} \sim 2600\text{mm} \end{cases}$$

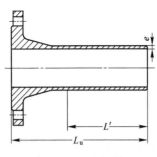

图 6-43　盘插管

表 6-48　盘插管尺寸　　　　　　　　　　（mm）

DN	e	L_u	L'	带法兰重量（近似值）/kg		
				PN10	PN16	PN25
80	7	350	215	7.8	7.8	7.8
100	7.2	360	215	9.6	9.6	10.2
125	7.5	370	220	12.4	12.4	13
150	7.8	380	225	15.6	15.6	16.6
200	8.4	400	230	22.5	22.5	24.5
250	9	420	240	32	31.5	35.5
300	9.6	440	250	43	42.5	47.5
350	10.2	460	260	52	55	64
400	10.8	480	270	64	70	81
450	11.4	500	280	79	88	103
500	12	520	290	94	109	121
600	13.2	560	310	133	159	173
700	14.4	600	330	179	194	228
800	15.6	600	330	226	245	294
900	16.8	600	330	272	295	356
1000	18	600	330	328	369	447
1200	20.4	600	330	456	520	620

DN	e	L_u	L'	带法兰重量（近似值）/kg		
				PN10	PN16	PN25
1400	22.8	710	390	664	732	884
1600	25.2	780	430	922	1024	1202
1800	27.6	850	470	1196	1322	1562
2000	30	920	500	1534	1687	2040
2200	32.4	990	540	1948	2115	1603
2400	34.8	1060	570	2409	2611	2010
2600	37.2	1130	610	2918	3153	2481

6.5.2 双盘渐缩管（图 6-44 和表 6-49）

$e_1 = 12 \ (0.5 + 0.001DN)$ 最小值均为 7mm

$e_2 = 12 \ (0.5 + 0.001dn)$ 最小值均为 7mm

$$L_u = \begin{cases} 150 & (DN - dn) = 10 \\ 200 & 15 \leqslant (DN - dn) \leqslant 25 \\ 300 & (DN - dn) = 50 \\ 600 & (DN - dn) = 100 \end{cases} \left. \right\} DN80 \sim 1000mm$$

$L_u = 2.15DN - 1.85dn + 60$ DN1200 ~ 2600mm

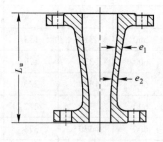

图 6-44 双盘渐缩管

表 6-49　双盘渐缩管尺寸　　　　　　　（mm）

大　径		小　径		L_u	重　量/kg			
DN	e_1	dn	e_2		PN10	PN16	PN25	PN40
100	7.2	80	7	200	9.3	9.3	9.8	9.8
125	7.5	100	7.2	200	11.3	11.3	12.5	13.8
150	7.8	125	7.5	200	14	14	12.5	18.9
200	8.4	150	7.8	300	22	21.5	25	31.5
250	9	200	8.4	300	30	29.5	35.5	51
300	9.6	250	9	300	40.5	39.5	49	74.5
350	10.2	300	9.6	300	49.5	52	66	—
400	10.8	350	10.2	300	58	67	86	—
450	11.4	400	10.8	300	72.4	86.6	113	—
500	12	400	10.8	600	110	130	153	—
600	13.2	500	12	600	149	190	216	—
700	14.4	600	13.2	600	195	236	288	—
800	15.6	700	14.4	600	250	285	374	—
900	16.8	800	15.6	600	308	352	468	—
1000	18	900	16.8	600	373	438	585	—
1200	20.4	1000	18	790	586	692	881	—
1400	22.8	1200	20.4	850	814	947	1223	—
1600	25.2	1400	22.8	910	1103	1273	1641	—
1800	27.6	1600	25.2	970	1436	1664	2135	—
2000	30	1800	27.6	1030	1800	2079	2715	—
2200	32.4	2000	30	1090	2250	2570	—	—
2400	34.8	2200	32.4	1150	2765	3134	—	—
2600	37.2	2400	34.8	1210	3311	3748	—	—

6.5.3 双盘90°（1/4）弯管（图6-45和表6-50）

$$e = 12 \ (0.5 + 0.001 \text{DN}) \qquad 最小值为 7 \text{mm}$$

$$L_{\text{u}} = \begin{cases} 100 + 0.8 \text{DN} \ （修约到 \pm 5）\ \text{DN80} \sim 200 \text{mm} \\ 100 + \text{DN} \quad \text{DN250} \sim 1000 \text{mm} \end{cases}$$

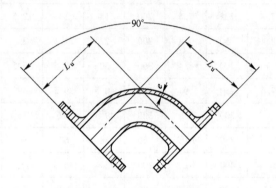

图 6-45　双盘90°（1/4）弯管

表 6-50　双盘90°（1/4）弯管尺寸 （mm）

DN	e	L_{u}	重　量/kg			
			PN10	PN16	PN25	PN40
80	7	165	9.6	9.6	9.6	9.8
100	7.2	180	11.9	11.9	12.9	13
125	7.5	200	15.6	15.6	16.9	19.5
150	7.8	220	20	20	22	26.5
200	8.4	260	31	30.5	34.5	45
250	9	350	50	49.5	57	77
300	9.6	400	70	70	81	111
350	10.2	450	90	96	113	—
400	10.8	500	116	127	149	—

DN	e	L_u	重　量/kg			
			PN10	PN16	PN25	PN40
450	11.4	550	143	160	190	—
500	12	600	181	211	235	—
600	13.2	700	272	325	353	—
700	14.4	800	399	429	—	—
800	15.6	900	552	590	—	—
900	16.8	1000	722	770	—	—
1000	18	1100	937	1020	—	—

6.5.4　双盘90°（1/4）鸭掌弯管（图6-46和表6-51）

$$e = 12（0.5 + 0.001DN）\quad 最小值为7mm$$

$$L_u = \begin{cases} 100 + 0.8DN（修约到 \pm 5）& DN80 \sim 200mm \\ 100 + DN & DN250 \sim 1000mm \end{cases}$$

$$c = 60 + 0.65DN（修约到 \pm 5）$$

$$d = 100 + DN\quad DN80 \sim 1000mm$$

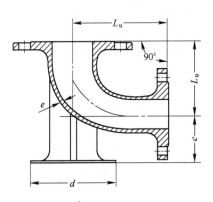

图 6-46　双盘90°（1/4）鸭掌弯管

表 6-51　双盘 90° (1/4) 鸭掌弯管尺寸　　　　　(mm)

DN	e	L_u	c	d	重　量/kg			
					PN10	PN16	PN25	PN40
80	7	165	110	180	14. 1	14. 1	14. 1	14. 2
100	7. 2	180	125	200	17. 3	17. 8	18. 8	18. 8
125	7. 5	200	140	225	23. 5	23. 5	24. 5	27. 5
150	7. 8	220	160	250	30	30	32	36. 5
200	8. 4	260	190	300	46. 5	46	50. 5	61
250	9	350	225	350	75	75	82	102
300	9. 6	400	255	400	106	105	116	146
350	10. 2	450	290	450	139	145	162	—
400	10. 8	500	320	500	178	189	212	—
450	11. 4	550	355	550	229	249	275	—
500	12	600	385	600	283	313	337	—
600	13. 2	700	450	700	428	481	509	—
700	14. 4	800	515	800	700	741	811	—
800	15. 6	900	580	900	846	884	982	—
900	16. 8	1000	645	1000	1118	1165	1286	—
1000	18	1100	710	1100	1698	1781	1937	—

6. 5. 5　双盘 45° (1/8) 弯管 (图 6-47 和表 6-52)

$e = 12 (0. 5 + 0. 001DN)$　最小值为 7mm

$$L_u = \begin{cases} 100 + 0. 4DN & (修约到 \pm 5) \quad DN80 \sim 200mm \\ 100 + DN & DN250 \sim 300mm \\ 117. 8 + 0. 514DN & DN350 \sim 1000mm \\ 100 + 0. 54DN & DN1200mm \\ 300 + 0. 34DN & DN1400 \sim 2000mm \\ 200 + 0. 31DN & DN2200 \sim 2600mm \end{cases}$$

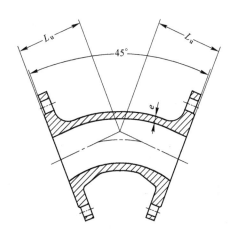

图 6-47 双盘 45°（1/8）弯管

表 6-52 双盘 45°（1/8）弯管尺寸 （mm）

DN	e	L_u	重 量/kg			
			PN10	PN16	PN25	PN40
80	7	130	9.3	9.3	9.3	9.3
100	7.2	140	11.3	11.3	12.4	12.4
125	7.5	150	14.6	14.6	15.9	18.5
150	7.8	160	18.5	18.5	20.5	24.5
200	8.4	180	27.5	27	31	41.5
250	9	350	55	54	62	82
300	9.6	400	78	77	88	118
350	10.2	300	76	83	89	—
400	10.8	325	96	107	129	—
450	11.4	350	116	132	158	—
500	12	375	145	175	198	—
600	13.2	425	212	266	294	—

DN	e	L_u	重 量/kg			
			PN10	PN16	PN25	PN40
700	14.4	480	274	304	—	—
800	15.6	530	375	413	—	—
900	16.8	580	483	531	—	—
1000	18	630	619	702	—	—
1200	20.4	750	975	1104	—	—
1400	22.8	775	1412	1548	—	—
1600	25.2	845	1915	2119	—	—
1800	27.6	910	2465	2717	—	—
2000	30	980	3149	3455	—	—
2200	32.4	880	3446	3804	—	—
2400	34.8	945	4277	4719	—	—
2600	37.2	1005	5175	5695	—	—

注：1. 对 DN1200~1600mm，按生产厂的规定，其他长度弯管也是合格的。

2. 对 DN250~600mm，为使双承弯管和双盘弯管能采用共同的铸造设备，双盘弯管的尺寸应如表6-53所示。

$e = 12 \ (0.5 + 0.001DN)$

$L_u = 85 + 0.63DN$

表 6-53 双盘弯管（DN250~600mm）尺寸　　　（mm）

DN	e	L_u	重 量/kg			
			PN10	PN16	PN25	PN40
250	9	243	44	44	51	71
300	9.6	274	62	61	72	102
350	10.2	306	78	84	101	—
400	10.8	337	98	109	132	—
500	12	400	151	182	205	—
600	13.2	463	225	278	307	—

6.5.6 全盘丁字管（图6-48）

6.5.6.1 DN80~200mm（表6-54）

$e = 14 \ (0.5 + 0.001\text{DN})$

$e_1 = 14 \ (0.5 + 0.001\text{dn})$

$L_u = 200 + 1.6\text{DN}$（修约到±5）

$$L = \begin{cases} 100 + 0.6\text{DN} + 0.2\text{dn} & \text{（修约到±5）} \\ 100 + \text{DN} & \text{DN} = \text{dn} \\ 100 + 0.5\text{DN} + 0.5\text{dn} & \text{dn} < \text{DN} \end{cases}$$

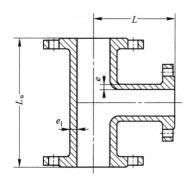

图6-48 全盘丁字管

表6-54 全盘丁字管（DN80~200mm）尺寸 （mm）

主 管			支 管			重 量/kg			
DN	e	L_u	dn	e_1	L	PN10	PN16	PN25	PN40
80	8.1	330	80	8.1	165	15.6	15.6	15.6	15.6
100	8.4	360	80	8.1	175	18.4	18.4	19.5	19.5
	8.4	360	100	8.4	180	19.4	19.4	21	21
125	8.8	400	80	8.1	190	23	23	24.5	27
	8.8	400	100	8.4	195	24	24	26	28.5
	8.8	400	125	8.8	200	25.5	25.5	27.5	31.5

主　管			支　管			重　量/kg			
DN	e	L_u	dn	e_1	L	PN10	PN16	PN25	PN40
	9.1	440	80	8.1	205	28.5	28.5	31	36
150	9.1	440	100	8.4	210	29.5	29.5	32	36.5
	9.1	440	150	9.1	220	32.5	32.5	36	42
	9.8	520	80	8.1	235	42	41.5	46	57
200	9.8	520	100	8.4	240	43	42	47.5	58
	9.8	520	150	9.1	250	46	45.5	51	64
	9.8	520	200	9.8	260	49.5	49	56	71

6.5.6.2　DN250~600mm（表6-55）

$$e = 14 \ (0.5 + 0.001 \text{DN})$$

$$e_1 = 14 \ (0.5 + 0.001 \text{dn})$$

$$L_u = \begin{cases} 200 + 2\text{DN} & \text{DN250}\sim300\text{mm} \\ 500 + \text{DN} & \text{DN350}\sim600\text{mm} \end{cases}$$

$$L = \begin{cases} 100 + \text{DN} & \text{dn} = \text{DN} \\ 100 + 0.5\text{DN} + 0.5\text{dn} & \text{dn} < \text{DN} \end{cases} \Bigg\} \text{DN250mm 和 DN300mm}$$

$$L = \begin{cases} 150 + 0.5\text{DN} & \text{dn} < 250 \\ 250 + 0.5\text{DN} & \text{dn} > 300 \end{cases} \Bigg\} \text{DN350}\sim600\text{mm}$$

表 6-55　全盘丁字管（DN250~600mm）尺寸　　　（mm）

主　管			支　管			重　量/kg			
DN	e	L_u	dn	e_1	L	PN10	PN16	PN25	PN40
	10.5	700	100	8.4	275	68	67	75	96
250	10.5	700	200	9.8	325	76	75	85	110
	10.5	700	250	10.5	350	82	81	93	123
	11.2	800	100	8.4	300	94	93	105	136
300	11.2	800	200	9.8	350	102	101	114	150
	11.2	800	300	11.2	400	116	115	131	178

主　管			支　管			重　量/kg			
DN	e	L_u	dn	e_1	L	PN10	PN16	PN25	PN40
350	11.9	850	100	8.4	325	116	122	139	
	11.9	850	200	9.8	325	121	128	146	—
	11.9	850	350	11.9	425	142	151	176	
400	12.6	900	100	8.4	350	143	154	177	
	12.6	900	200	9.8	350	148	159	184	—
	12.6	900	400	12.6	450	174	191	225	
500	14	1000	100	8.4	400	210	241	265	
	14	1000	200	9.8	400	215	245	271	
	14	1000	400	12.6	500	242	276	311	—
	14	1000	500	14	500	252	297	332	
600	15.4	1100	200	9.8	450	305	358	388	
	15.4	1100	400	12.6	550	329	387	427	—
	15.4	1100	600	15.4	550	355	434	477	

注：为使全承丁字管和全盘丁字管能采用同样铸造设备，全盘丁字管尺寸应如
6.5.6.6 节表 6-59 所示。

6.5.6.3　DN700～1000mm（表 6-56）

$e = 14 (0.5 + 0.001DN)$

$e_1 = 14 (0.5 + 0.001dn)$

$$L_u = \begin{cases} 150 + 0.4DN + 1.1dn & dn < 600mm \\ 150 + 1.5DN & dn \geqslant 600mm \end{cases}$$

$L = 75 + 0.6DN + 0.15dn$（修约到 ± 5）

表 6-56　全盘丁字管（DN700~1000mm）尺寸　　　（mm）

主　管			支　管			重　量/kg		
DN	e	L_u	dn	e_1	L	PN10	PN16	PN25
700	16.8	650	200	9.8	525	258	298	
	16.8	870	400	12.6	555	343	379	—
	16.8	1200	700	16.8	600	477	523	
800	18.2	690	200	9.8	585	352	390	
	18.2	910	400	12.6	615	441	484	
	18.2	1350	600	15.4	645	613	678	—
	18.2	1350	800	18.2	675	657	715	
900	19.6	730	200	9.8	645	436	484	
	19.6	950	400	12.6	675	541	594	
	19.6	1500	600	15.4	705	787	860	—
	19.6	1500	900	19.6	750	853	924	
1000	21	770	200	9.8	705	546	629	
	21	990	400	12.6	735	668	755	
	21	1650	600	15.4	765	1007	1116	—
	21	1650	1000	21	825	1105	1229	

6.5.6.4　DN1200~2000mm（表6-57）

$e = 14 \ (0.5 + 0.001 DN)$

$e_1 = 14 \ (0.5 + 0.001 dn)$

$$L_u = \begin{cases} 230 + 0.26 DN + 1.16 dn & DN1200mm \\ 490 + 0.26 DN + 1.16 dn & DN1400~2000mm \end{cases}$$

$$L = \begin{cases} 75 + 0.6 DN + 0.15 dn & DN1200mm \\ 120 + 0.55 DN + 0.15 dn & DN1400~2000mm \end{cases}$$

表 6-57　全盘丁字管（DN1200~2000mm）尺寸　　　（mm）

主　管			支　管			重　量/kg		
DN	e	L_u	dn	e_1	L	PN10	PN16	PN25
1200	23.8	1240	600	15.4	885	1101	1256	
	23.8	1470	800	18.2	915	1291	1439	—
	23.8	1700	1000	21	945	1494	1664	

主　管			支　管			重　量/kg		
DN	e	L_u	dn	e_1	L	PN10	PN16	PN25
1400	26.6	1550	600	15.4	980	1655	1818	—
	26.6	1760	800	18.2	1010	1886	2041	
	26.6	2015	1000	21	1040	2131	2309	
1600	29.4	1600	600	15.4	1090	2167	2398	—
	29.4	1835	800	18.2	1120	2452	2675	
	29.4	2065	1000	21	1150	2740	2986	
	29.4	2300	1200	23.8	1180	3058	3327	
1800	32.2	1655	600	15.4	1200	2694	2972	—
	32.2	1885	800	18.2	1230	3023	3299	
	32.2	2120	1000	21	1260	3375	3669	
	32.2	2350	1200	23.8	1290	3740	4056	
2000	35	1705	600	15.4	1310	3300	3642	—
	35	2170	1000	21	1370	4112	4459	
	35	2635	1400	26.6	1430	4966	5340	

6.5.6.5　DN2200~2600mm（表6-58）

$e = 14 (0.5 + 0.001DN)$

$e_1 = 14 (0.5 + 0.001dn)$

$L_\mathrm{u} = 240 + 0.3DN + 1.1dn$

$L = 120 + 0.55DN + 0.15dn$

表 6-58　全盘丁字管（DN2200~2600mm）**尺寸**　　　（mm）

主　管			支　管			重　量/kg		
DN	e	L_u	dn	e_1	L	PN10	PN16	PN25
2200	37.8	1560	600	15.4	1420	3675	4034	—
	37.8	2220	1200	23.8	1510	5026	5413	
	37.8	2880	1800	32.2	1600	6474	6934	

主　管			支　管			重　量/kg		
DN	e	L_u	dn	e_1	L	PN10	PN16	PN25
2400	40. 6	1620	600	15. 4	1530	4418	4849	
	40. 6	2280	1200	23. 8	1620	5963	6432	—
	40. 6	2940	1800	32. 2	1710	7614	8145	
2600	43. 4	1680	600	15. 4	1640	5214	5711	
	43. 4	2560	1400	26. 6	1760	7585	8128	—
	43. 4	3220	2000	35. 0	1850	9505	10128	

6. 5. 6. 6　DN250 ~ 600mm（表 6-59）

$e = 14$ （$0. 5 + 0. 001$DN）

$e_1 = 14$ （$0. 5 + 0. 001$dn）

$L_u = 200 + 0. 44$DN $+ 1. 16$dn （修约到 ± 5）

$L = 100 + 0. 6$DN $+ 0. 2$dn

表 6-59　全盘丁字管（DN250 ~ 600mm）尺寸　　　（mm）

主　管			支　管			重　量/kg			
DN	e	L_u	dn	e_1	L	PN10	PN16	PN25	PN40
250	10. 5	425	100	8. 4	270	51	51	59	79
	10. 5	540	200	9. 8	290	64	64	73	99
	10. 5	600	250	10. 5	300	73	72	84	114
300	11. 2	450	100	8. 4	300	66	66	77	108
	11. 2	565	200	9. 8	320	82	81	94	130
	11. 2	680	300	11. 2	340	102	101	117	164
350	11. 9	470	100	8. 4	330	80	86	103	
	11. 9	585	200	9. 8	350	98	104	122	—
	11. 9	750	350	11. 9	380	129	138	163	

主 管			支 管			重 量/kg			
DN	e	L_u	dn	e_1	L	PN10	PN16	PN25	PN40
400	12. 6	490	100	8. 4	360	96	107	130	
	12. 6	610	200	9. 8	380	116	127	152	—
	12. 6	840	400	12. 6	420	163	180	214	
500	14	535	100	8. 4	420	137	167	191	
	14	650	200	9. 8	440	161	192	217	
	14	885	400	12. 6	480	218	254	289	—
	14	1000	500	14	500	252	297	332	
600	15. 4	700	200	9. 8	500	223	276	307	
	15. 4	930	400	12. 6	540	292	350	390	—
	15. 4	1165	600	15. 4	580	374	454	496	

6.5.7　减径法兰盘（图 6-49）

6.5.7.1　减径法兰盘 PN10（表 6-60）

$$b = \begin{cases} 10 + 0.035\text{DN} & \text{DN200mm，最小值为 16mm} \\ 10 + 0.025\text{DN} & \text{DN350}\sim1000\text{mm，最小值为 20.5mm} \end{cases}$$

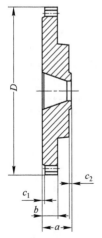

图 6-49　减径法兰盘

表 6-60　减径法兰盘 PN10 尺寸　　　　　（mm）

大　径				小　径		a	重量/kg
DN	D	b	c_1	dn	c_2		
200	340	17	3	80	3	40	13.3
	340	17	3	100	3	40	13.2
	340	17	3	125	3	40	13.5
350	505	20.5	4	250	3	48	32
400	565	20.5	4	250	3	48	39
	565	20.5	4	300	4	49	48
700	895	27.5	5	500	4	56	102
900	1115	32.5	5	700	5	63	165
1000	1230	35	5	700	5	63	222
	1230	35	5	800	5	68	209

6.5.7.2　减径法兰盘 PN16（表 6-61）

$b = 10 + 0.035DN$　最小值为 16mm

表 6-61　减径法兰盘 PN16 尺寸　　　　　（mm）

大　径				小　径		a	重量/kg
DN	D	b	c_1	dn	c_2		
200	340	17	3	80	3	40	13
	340	17	3	100	3	40	13
	340	17	3	125	3	40	13.3
350	520	22.5	4	250	3	54	36.5
400	580	24	4	250	3	54	46
	580	24	4	300	4	55	54.5
700	910	34.5	5	500	4	67	134
900	1125	41.5	5	700	5	73	200
1000	1255	45	5	700	5	73	285
	1255	45	5	800	5	77	260

6.5.7.3 减径法兰盘 PN25（表6-62）

$b = 10 + 0.045DN$　最小值为 16mm

表 6-62　减径法兰盘 PN25 尺寸　　　（mm）

大　　径				小　　径		a	重量/kg
DN	D	b	c_1	dn	c_2		
200	360	19	3	80	3	40	15
	360	19	3	100	3	47	16.8
	360	19	3	125	3	53	18.8
350	555	26	4	250	3	60	48.5
400	620	28	4	250	3	60	62
	620	28	4	300	4	61	60

6.5.7.4 减径法兰盘 PN40（表6-63）

$b = 10 + 0.085DN$

表 6-63　减径法兰盘 PN40 尺寸　　　（mm）

大　　径				小　　径		a	重　量（近似值）/kg
DN	D	b	c_1	dn	c_2		
200	375	27	3	80	3	40	20.5
	375	27	3	100	3	47	21.5
	375	27	3	125	3	53	22.5

6.5.8　盲板（图6-50）

6.5.8.1 盲板 PN10（表6-64）

$$b = \begin{cases} 10 + 0.035DN & DN80 \sim 300mm，最小值为 16mm \\ 10 + 0.025DN & DN350 \sim 1200mm，最小值为 20.5mm \\ 20 + 0.015DN & DN1400 \sim 2600mm \end{cases}$$

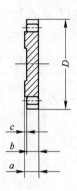

图 6-50　盲板

表 6-64　盲板 PN10 尺寸　　　　　（mm）

DN	D	a	b	c	重量/kg
80	200	19	16	3	3.5
100	220	19	16	3	4.3
125	250	19	16	3	5.6
150	285	19	16	3	7.2
200	340	20	17	3	11
250	400	22	19	3	16.9
300	455	24.5	20.5	4	24
350	505	24.5	20.5	4	29.5
400	565	24.5	20.5	4	36.5
450	615	25.5	21.5	4	46.5
500	670	26.5	22.5	4	56
600	780	30	25	5	85
700	895	32.5	27.5	5	123
800	1015	35	30	5	172
900	1115	37.5	32.5	5	224
1000	1230	40	35	5	293

DN	D	a	b	c	重量/kg
1200	1455	45	40	5	575
1400	1675	46	41	5	739
1600	1915	49	44	5	1239
1800	2115	52	47	5	1717
2000	2325	55	50	5	2272
2200	2550	59	53	6	2253
2400	2760	62	56	6	2781
2600	2960	65	59	6	3365

注：对于公称直径 DN≥300mm 的法兰，盲板中心成盘形。

6.5.8.2 盲板 PN16（表 6-65）

$$b = \begin{cases} 10 + 0.035DN & DN80 \sim 1200mm, 最小值为 16mm \\ 20 + 0.025DN & DN1400 \sim 2600mm \end{cases}$$

表 6-65 盲板 PN16 尺寸 （mm）

DN	D	a	b	c	重量/kg
80	200	19	16	3	3.5
100	220	19	16	3	4.3
125	250	19	16	3	5.6
150	285	19	16	3	7.2
200	340	20	17	3	10.8
250	400	22	19	3	16.6
300	455	24.5	20.5	4	23.5
350	520	26.5	22.5	4	33.5
400	580	28	24	4	44.5
450	640	30	26	4	63.5
500	715	31.5	27.5	4	77
600	840	36	31	5	121

DN	D	a	b	c	重量/kg
700	910	39.5	34.5	5	156
800	1025	43	38	5	218
900	1125	46.5	41.5	5	286
1000	1255	50	45	5	387
1200	1485	57	52	5	662
1400	1685	60	55	5	994
1600	1930	65	60	5	1409
1800	2130	70	65	5	1858
2000	2345	75	70	5	2407
2200	2555	81	75	6	3097
2400	2765	86	80	6	3863
2600	2965	91	85	6	4716

6.5.8.3 盲板 PN25 （表 6-66）

$b = 10 + 0.045DN$　最小值为 16mm

表 6-66　盲板 PN25 尺寸　　　　（mm）

DN	D	a	b	c	重量/kg
80	200	19	16	3	3.5
100	235	19	16	3	4.8
125	270	19	16	3	6.2
150	300	20	17	3	8.3
200	360	22	19	3	13.3
250	425	24.5	21.5	3	21
300	485	27.5	23.5	4	30
350	555	30	26	4	43.5

DN	D	a	b	c	重量/kg
400	620	32	28	4	58
450	670	34.5	30.5	4	79
500	730	36.5	32.5	4	94
600	845	42	37	5	144

6.5.8.4 盲板 PN40 (表 6-67)

$b = 10 + 0.085DN$　最小值为 16mm

表 6-67　盲板 PN40 尺寸　　　　　　　　　　（mm）

DN	D	a	b	c	重量/kg
80	200	19	16	3	3.7
100	235	19	16	3	5.1
125	270	23.5	20.5	3	8.3
150	300	26	23	3	11.4
200	375	30	27	3	20.5
250	450	34.5	31.5	3	34.5
300	515	39.5	35.5	4	51
350	580	44	40	4	74
400	660	48	44	4	106
450	685	50	46	4	118
500	755	52	48	4	150
600	890	58	53	5	232

7 球墨铸铁管附件

7.1 压兰

7.1.1 K型接口压兰（图7-1和表7-1）

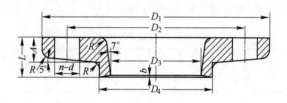

图7-1 K型接口压兰

表7-1 K型接口压兰尺寸 （mm）

DN	D_1	D_2	D_3	D_4	A	L	R	b	n-d/个	重量/kg
100	234	188	122	146	16	35	5	2	4-23	4.1
150	288	242	174	198	17	36	5	2	6-23	5.7
200	341	295	226	250	18	37	5	2	6-23	7.5
250	395	349	278	302	19	38	5	2	8-23	9.5
300	455	409	330	354	20	39	5	2	8-23	12.2
350	508	462	382	406	21	40	5	2	10-23	14.6
400	561	515	433	457	22	41	7	2	12-23	17.2
500	667	621	536	560	24	43	7	2	14-23	22.9
600	773	727	639	663	25	44	7	2	14-23	28.5
700	892	838	743	773	26	45	7	2.5	16-27	38.6
800	999	942	847	877	28	47	9	2.5	20-27	47.4
900	1123	1057	950	980	29	48	9	2.5	20-33	61.9
1000	1231	1160	1054	1083	30	49	9	2.5	20-33	63.8
1100	1338	1272	1158	1187	31	50	9	2.5	24-33	68.5
1200	1444	1378	1262	1290	32	51	9	2.5	28-33	82.5

DN	D_1	D_2	D_3	D_4	A	L	R	b	n-d/个	重量/kg
1400	1657	1591	1469	1497	34	53	9	3	28-33	104
1500	1766	1700	1573	1601	35	54	9	3	28-33	119
1600	1874	1808	1676	1711	36	55	9	3	30-33	123
1800	2089	2023	1883	1918	38	57	11	3	34-33	162
2000	2305	2239	2090	2125	40	59	11	3	36-33	196
2200	2519	2453	2296	2331	43	62	11	3	40-33	238
2400	2734	2668	2503	2538	46	65	11	3	44-33	318
2600	2949	2883	2710	2745	49	68	11	3	48-33	378

7.1.2 N_{II}型和S_{II}型接口压兰（图 7-2、图 7-3 和表 7-2、表 7-3）

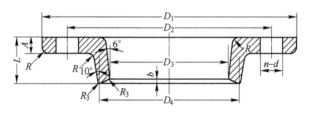

图 7-2 N_{II} 型接口压兰

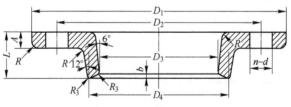

图 7-3 S_{II} 型接口压兰

表 7-2 N_{II} 型接口压兰尺寸 （mm）

DN	D_1	D_2	D_3	D_4	A	L	R	b	d	n/个	重量/kg
100	262	210	122	143						4	6
150	313	262	174	195	16	55	6	5	23	6	7.8
200	366	312	226	247						8	9.8

DN	D_1	D_2	D_3	D_4	A	L	R	b	d	n/个	重量/kg
250	418	366	279	301							11.8
300	471	420	331	353	18	55			23	8	15.7
350	524	474	383	405							17.6
400	578	526	435	458			6	5			20.7
500	686	632	539	562						12	26.5
600	794	740	642	665	20	60			24		32.5
700	898	844	745	770						16	41.0

表 7-3　S_{II} 型接口压兰尺寸　　　　　　（mm）

DN	D_1	D_2	D_3	D_4	A	L	R	b	d	n/个	重量/kg
100	262	210	121	145						4	5.7
150	313	254	173	197	16	46					7.3
200	366	320	225	249						6	9.0
250	418	366	277	303					23		11.4
300	471	416	329	355	18	48	6	5		8	13.2
350	524	475	381	407							15.7
400	578	530	432	460						12	19.7
500	686	630	536	564							24.5
600	794	740	639	667	20	50			24	14	29.3
700	898	854	742	770						16	34.5

7.2　螺栓和螺母（图 7-4 和表 7-4）

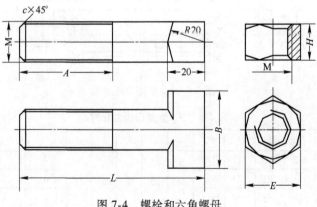

图 7-4　螺栓和六角螺母

表 7-4　螺栓和六角螺母尺寸　　　　　　　（mm）

DN	螺纹直径	L	A	B	c	E	H
100	M20	95	65	40	3	30	16
150							
200		100					
250							
300							
350		110					
400							
500							
600							
700	M24	120	75	55	4	36	21.5
800							
900	M30	130	85	75	5	46	25.6
1000							
1100		140					
1200							
1400		150					
1500							
1600							
1800		160					
2000							
2200		170	90				
2400							
2600		180	100				

7.3　橡胶圈

7.3.1　T 型接口用橡胶圈（图 7-5、图 7-6 和表 7-5）

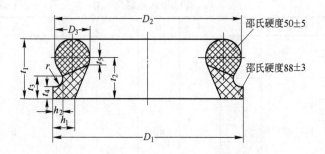

图 7-5　DN40~1200mm T 型接口用橡胶圈

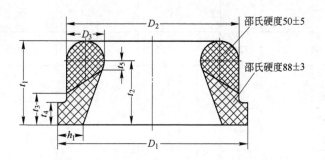

图 7-6　DN1400~1600mm T 型接口用橡胶圈

表 7-5　T 型接口用橡胶圈尺寸　　　　　　　　　（mm）

DN	D_1	D_2	D_3	h_1	h_2	t_1	t_2	t_3	t_4	t_5	r	压缩比/%	
												最大	最小
40	85	83	16	10	4.5	24	16	10	5	3	3	42.4	1.56
50	95	93	16	10	4.5	24	16	10	5	3	3	42.4	1.56
60	105	103	16	10	4.5	26	18	10	5	3	3	42.4	4.68
65	110	108	16	10	4.5	26	18	10	5	3	3	42.4	4.68
80	126	123	16	10	4.5	26	18	10	5	3	3	42.4	2.5
100	146	144	16	10	4.5	26	18	10	5	3	3.5	42.7	3.1
125	172	170	16	10	4.5	26	18	10	5	3	3.5	41.7	3.4

DN	D_1	D_2	D_3	h_1	h_2	t_1	t_2	t_3	t_4	t_5	r	压缩比/%	
												最大	最小
150	200	198	16	10	4.5	26	18	10	5	3	3.5	43.7	3.4
200	256	254	18	11	5	30	21	12	6	4	4	42.7	3.6
250	310	308	18	11	5	32	23	12	6	4	4	43.5	3.9
300	366	364	20	12	5.5	34	24	14	7	4	4.5	42.2	4.0
350	420	418	20	12	5.5	34	24	14	7	4	4.5	42.9	4.3
400	475	473	22	13	6	38	27	16	8	5	5	41.8	4.8
450	528	526	23	13	6	38	27	16	8	5	5	42.5	7.4
500	583	581	24	14	6.5	42	30	18	9	6	5.5	41.6	5.2
600	692	690	26	15	7	46	33	20	10	7	6	41.5	6
700	809	803	33.5	20	10	55	39	24	16	8	7	42.2	11.3
800	919	913	35.5	21	11	60	43	26	16	9	8	41.8	11.3
900	1026	1020	37.5	22	12	65	47	28	18	10	9	41.7	11.2
1000	1133	1127	39.5	23	12	70	51	30	18	10	9	41.1	10.9
1100	1242	1235	40.0	25	13.5	74	54	32	19	10	10	40.1	8.4
1200	1352	1345	43.5	27	13.5	78	57	34	20	11	10	42.0	11.5
1400	1569	1549	41.5	27		80	58	28	23	22		42.0	15.8
1500	1685	1665	43	30		70	48.5	30	20	13.5		44.8	10.5
1600	1799	1779	43	32.5		70	48.5	30	20	13.5		46.0	10.5

7.3.2 K型接口用橡胶圈（图7-7和表7-6）

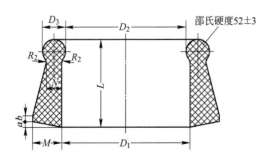

图 7-7　K型接口用橡胶圈

表 7-6　K 型接口用橡胶圈尺寸　　　　（mm）

DN	D_1	D_2	D_3	L	M	N	a	b
100	116	111	11	45	15	6	4	4
150	167	162	11	45	15	6	4	4
200	218	213	11	45	15	6	4	4
250	269	264	11	45	15	6	4	4
300	319	312	15	49	18	8	4	4
350	370	363	15	49	18	8	4	4
400	420	413	15	49	18	8	4	4
450	471	465	15	49	18	8	4	4
500	521	514	15	49	18	8	4	4
600	622	615	15	49	18	8	4	4
700	723	716	18	61	21	11	4	4
800	825	818	18	61	21	11	4	4
900	926	919	18	61	21	11	4	4
1000	1027	1020	18	62	21	11	4	5
1100	1130	1123	18	62	21	11	4	5
1200	1230	1223	20	62	21.5	13	4	5
1400	1430	1423	20	62	21.5	13	4	5
1500	1532	1525	20	62	21.5	13	4	5
1600	1635	1628	23	80	27	15	4	5
1800	1833	1825	23	80	27	15	4	5
2000	2035	2027	23	80	27	15	4	5
2200	2235	2227	23	80	27	15	4	5
2400	2440	2432	23	80	27	15	4	5
2600	2645	2637	23	80	27	15	4	5

7.3.3 N_{II}型接口用橡胶圈（图 7-8 和表 7-7）

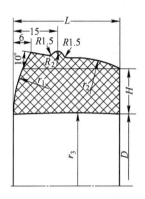

图 7-8 N_{II}型接口用橡胶圈

表 7-7 N_{II}型接口用橡胶圈尺寸 （mm）

DN	L	r_1	r_2	r_3	H	D
100						113
150	32	32	23	110	14	162
200						213
250						264
300						314
350	34	34	28.5	125	15	362
400						413
500						512
600	36	36	35	300	16	611
700						710

7.3.4 S_{II}型接口用密封圈（图 7-9 和表 7-8）

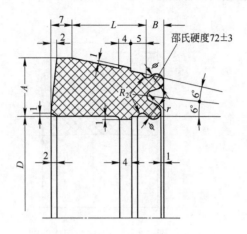

图 7-9 S$_{II}$型接口用密封圈

表 7-8 S$_{II}$型接口用密封圈尺寸　　　　（mm）

DN	A	L	B	φ	r	D
100	17	26	5	4		115
150						166
200	18	31				215
250	19	24			1.5	266
300		25	6	5		317
350	20	27				369
400		29				420
500	20.5	21				521
600	21	23	7	5.5	2	624
700	22	27				725

7.4 其他

7.4.1 N_Ⅱ型接口用支撑圈（图 7-10 和表 7-9）

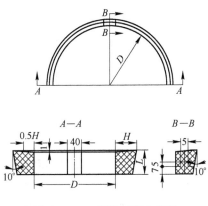

图 7-10 N_Ⅱ型接口用支撑圈

表 7-9 N_Ⅱ型接口用支撑圈尺寸 （mm）

DN	H	l	D
100			115
150	13	12	167
200			219
250			271
300	14	12	323
350			375
400			426
500			529
600	15	12	632
700			735

7.4.2　S_Ⅱ型接口用隔离圈（图7-11和表7-10）

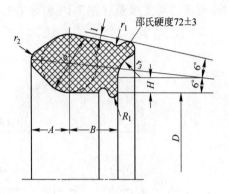

图 7-11　S_Ⅱ型接口用隔离圈

表 7-10　S_Ⅱ型接口用隔离圈尺寸　　　　　　　（mm）

DN	ϕ	A	B	H	r_3	r_1	r_2	D
100								114
150	9.6	6.8	9	2				165
200								214
250					5	1.5	2	265
300								315
350	12	8		3				367
400			10					418
500								519
600	14	10		4	6	2	3	622
700								723

7.4.3　S_Ⅱ型接口用锁环（图7-12和表7-11）

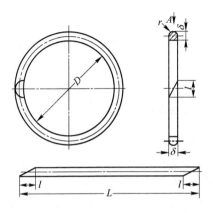

图 7-12 S$_\mathrm{II}$ 型接口用锁环

表 7-11 S$_\mathrm{II}$ 型接口用锁环尺寸 （mm）

DN	D	δ	r	l	L
100	114	8	4	20	403.38
150	166	8	4	20	566.36
200	218	8	4	20	729.64
250	270	10	5	25	899.2
300	322	10	5	25	1067.48
350	374	10	5	25	1230.76
400	425	10	5	25	1390.9

8　球墨铸铁管的安装

8.1　球墨铸铁管安装的一般原则

（1）给水和输气管道工程应按设计文件和施工图施工，球墨铸铁管材、管件应符合国家现行的有关产品标准（GB 13295）或国际现行标准（ISO 2531）的规定，并应有出厂合格证，用于生活饮用水的管道，其材质不得污染水质。给水和输气管道工程施工，应遵循国家和地方有关法规，工程验收应符合国家有关标准、规范的规定。

（2）给水和输气管道工程施工前应有设计单位进行设计交底，并根据施工需要进行调查研究，掌握管道沿线的下列情况和资料：

1）现场地形、地貌、建筑物、各种管线和其他设施的情况；

2）工程材料、水文地质、工程用地及施工用水、排水条件、供电条件等；

3）工程材料、施工机械供应条件；

4）在地表水体中或岸边施工时，应掌握地表水的水文和航运资料；在寒冷地区施工时，应掌握地表水的冻结及流冰的资料；

5）结合工程特点和现场条件的其他情况和资料。

（3）要排水的应编制排水施工设计，施工排水应考虑排水不影响交通、不破坏道路、农田、河岸及其他结构建筑物等一系列排水涉及的问题。

8.2　球墨铸铁管的搬运及储存

8.2.1　球墨铸铁管的搬运

注意事项：铸管及管件应采用吊带或专用工具起吊，装卸时应轻装轻放，在倒运、运输时应垫稳、垫牢，不得相互撞击，严格按照防护和紧固的要求进行操作，避免对铸管、管件及防护层造成损坏。我们建议铸管和管件的装卸和堆放应该由懂技术的人员进行监督。

运输工具：短距离运输可采用叉车、平板车；长距离运输要采用火车、汽车或轮船。

起吊工具：可使用吊车、叉车起吊。在起吊时应使用专用吊钩，如图 8-1 所示。专用吊钩应是在钢钩外包橡胶皮，使用尼龙绳吊带、外包橡胶管的钢丝绳，达到保护铸管内外涂层目的。

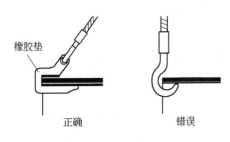

图 8-1　专用吊钩起吊

提升（图 8-2）：

（1）对于打捆包装的铸管，吊装时要将吊装带套住底部，切莫挂套在管层中间，以免吊装时包装带断裂散捆。

（2）对于散装的铸管，采用专用吊钩或吊装带一次吊运

图 8-2　铸管提升方法

一根或数根。吊装时要注意铸管重心位置和吊装带的角度。

（3）若采用叉车提升，作业过程中可能与铸管接触的地方都必须进行防护。

（4）提升铸管应平稳、缓慢，切忌吊装带缠绕铸管致使铸管在空中旋转，注意不要与其他硬物磕碰，避免突然启动或停止。

运输：

（1）采用汽车或火车运输，车厢内必须清扫干净，不得有异物，同时根据运载工具的可接受载量制定装车方案。

（2）采用汽车或火车运输，都应在平板上放置两块或更多木块，以避免铸管承口直接与平板接触。如采用平板车运输，铸管置于木块上后用楔块固定。铸管伸出车体部分不得超过管长的1/4。所装的铸管多于一层时，每层铸管的承口、插口应交错排放，两层铸管中应加缓冲垫，最后用钢丝绳加缓冲垫固定牢固。

（3）从车上卸货要参照装车方法，切忌使铸管从高空落下或不加缓冲地从斜坡上滚下，应采用专用吊具作业。

8.2.2 球墨铸铁管的储存

所选择存放铸管的场地应当平整、坚实，所选用的垫木应结实，储存的时间过长，建议用帆布或编织布覆盖，避免管内落入灰尘或脏物。堆放的形式有金字塔形和四方形。

"金字塔"形堆放方式如图 8-3 所示。在距管子两端约 1000mm 的下面分别垫上支撑木，并采用楔子固定，在堆放时相邻管及相邻层的铸管，承口和插口要相间。

四方形堆放方式如图 8-4 所示。底层放置垫木，并用楔木牢固，在堆放时相邻管及相邻层的铸管，承口和插口要相间。

考虑最底层铸管的承受力，建议 $K9$ 级铸管堆放高度如表 8-1所示。

图 8-3 金字塔形堆放方式

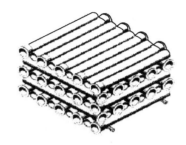

图 8-4 四方形堆放方式

表 8-1 *K9* 级铸管的堆放高度

DN/mm	建议堆放层数		DN/mm	建议堆放层数	
	金字塔形	四方形		金字塔形	四方形
80	70	30	800	6	4
100	58	27	900	5	4
125	47	24	1000	3	3
150	40	22	1100	3	2
200	31	18	1200	2	2
250	25	16	1400	2	2
300	21	14	1500	2	1
350	18	12	1600	2	1
400	16	11	1800	2	1
450	14	10	2000	1	1
500	12	8	2200	1	1
600	10	7	2400	1	1
700	7	5	2600	1	1

8.3 管道沟槽

一般原则：

（1）挖掘管沟时，应考虑回填取土方便，充分利用原有土砂。

（2）查清所施工沟槽所埋设的电缆、其他管道及构造物，避免对其影响。

（3）查明有无地下水，需要排水时，应编制排水方案，包括：排水量的计算、排水方法的选定、排水系统的布置、抽水机械的选型、排放区的构造等。

（4）对交通及周围建筑物的影响应采取得当的防护措施。

（5）沟槽较深，土质松散时应在沟旁设桩防护，以免塌方。

沟槽底部的挖掘宽度，应按下式计算：

$$B = D_1 + 2(b_1 + b_2 + b_3)$$

式中　B——管道沟槽底部的开挖宽度，mm；

　　　D_1——管道结构的外缘宽度，mm；

　　　b_1——管道一侧的工作面宽度，mm；

　　　b_2——管道一侧的支撑宽度，一般取 $b_2 = 150 \sim 200$mm；

　　　b_3——现场浇筑混凝土或钢筋混凝土管渠一侧模板的厚度，mm。

沟槽支撑应根据沟槽的土质、地下水位、开槽断面、荷载条件等因素进行设计。支撑的材料可选用钢材、木材或钢材木材混合使用。沟槽支撑的施工应符合下列规定：

（1）支撑后沟槽中心线每侧的净宽不应小于施工设计的规定；

（2）横撑不得妨碍下管和稳管；

（3）安装应牢固，安全可靠。

管道施工完毕并经检验合格后，沟槽应及时回填。对于压力管道，水压试验前，除接口外，管道两侧及管顶以上回填高度不应小于 0.5m；水压试验合格后，应及时回填其余部分。

回填土时，应符合下列规定：

（1）槽底至管顶以上 500mm 范围内，不得含有机物、冻土以及大于 50mm 的砖、石等硬块；

（2）冻期回填时，管顶以上 500mm 范围以外可均匀掺入冻土，其数量不得超过填土总体积的 15%；

（3）采用石灰土、砂、砂砾等材料回填时，其质量要求应按设计规定执行。

8.4 管道基础

一般情况：一般为平底沟，不设特别基础。根据情况不同，也有时把铸管的支持面挖成圆形，使铸管安装时尽量与原来基础地基紧密接触。

软弱地基情况：应按设计规定对基础进行处理。

地面管道铺设应考虑以下因素：

（1）支撑系统；

（2）热膨胀系数；

（3）抵抗管道水压内应力的锚具。

采用混凝土承台式做支撑应遵循原则：

（1）每根铸管配一套支撑固定结构；

（2）支撑固定结构放在承口后面（图8-5）；

（3）一个鞍形支撑台如图8-6所示；

（4）一个带橡胶垫的连接卡子。

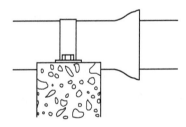

图 8-5　支撑固定结构放在承口后面

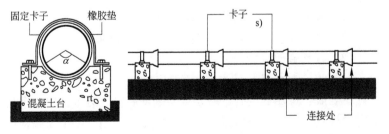

图 8-6　鞍形支撑台

热膨胀:球墨铸铁管线不需要专门的膨胀吸收装置,用一个足够宽的连接卡子,各支撑系统间的承插接头足以抵消整个管线因温度变化造成的膨胀。

锚具:在管线的弯管、支管、接头和铸管末端应采取相应的锚固保护措施。管线拐弯一般要使用弯头来实现,也可利用接口允许的偏转角度来实现。在这种情况下,应计算拐弯点的受力(图8-7),加强铸管偏转的支撑锚具。

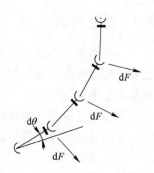

图 8-7　拐弯点受力分析

在管道偏转造成较大内应力时,必须考虑提供具有足够安全的支撑系统。

8.5　管道跨越河沟的安装

用滑入式接口的管道在跨越河沟桥梁上安装应考虑的主要因素:

(1) 支撑系统;

(2) 桥和主体的热膨胀系数;

(3) 锚具;

(4) 如需要,应考虑承受冷冻。

每座桥都必须专门研究、设计,确认桥梁能够支撑的总重量和锚具的支撑能力。

典型的安装形式如图8-8所示。

支撑物:

(1) 每根铸管配一套支撑固定结构;

(2) 每套支撑固定结构放在一个承口直管部分;

(3) 一个鞍型支撑台;

(4) 一个带橡胶垫的连接卡子。

热膨胀:球墨铸铁管不需要专门的膨胀吸收装置,用一个足够宽的连接卡子,各支撑系统间的承插接头相当于一个膨胀补偿器,来吸收整个管线因温度变化造成的膨胀。

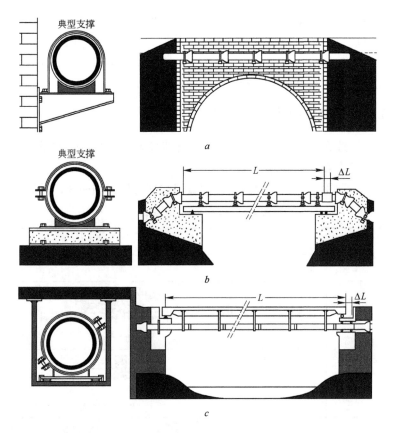

图 8-8 管道跨越河沟的典型安装形式

a—依附已有的桥梁；*b*—设立管道专用桥梁；*c*—吊挂在桥梁下

锚具：每个承受水的推力的部件（弯头、三通和阀门）用一个锚固系统支撑着，这个支撑物必须有足够的尺寸承受排成直线的铸管和抵抗水的推力。

在管道偏转造成较大内应力时，必须考虑提供具有足够安全的结构尺寸的支撑固定系统。

8.6 穿墙管的安装

在管道需要过墙体时，一般需要在直管上焊接固定法兰。焊接法兰管可由生产厂提供，也可在施工现场焊接，穿墙的两端可以是插口、承口或法兰。在安装过程中，必须确保穿墙管固定在墙壁上，然后再与其两侧管线连接，必须确保穿墙管牢固地固定在墙壁上，与其两侧连接时，不能松动。

8.7 修理用管接头的安装

管线在运行过程中经常涉及到定期检修、故障维修和系统改造，常常需要更换部件。

需要更换一段管道时，新旧管道的连接形式如表 8-2 所示。

表 8-2 新旧管道的连接形式

连接形式	方法		
	接头形式	规格/mm	简图
法兰/插口连接	快速接头	≤DN300	
	法兰接头	DN350~1800	
插口/插口连接	卡套接头	≤DN600	
	双承接头	≤DN1200	
	特殊接头	DN700~1800	

新旧管道连接的操作步骤：

（1）准确地确定挖沟槽的位置，挖出管道后清理干净露出铸管，用卷尺或卡规测量铸管的外径，如图8-9所示。

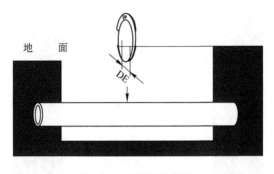

图 8-9　测量铸管外径

（2）根据铸管的外径选择最合适的铸管及连接形式。

（3）切断原来的铸管，如图8-10所示。切掉铸管的长度大于要换上管段的长度。

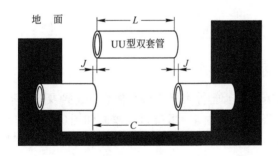

图 8-10　切断铸管

（4）取出切掉的铸管，在替换前，要测量一下长度和预留间隙，如图8-11所示。

（5）将新换的管道和连接管件放到管线上，与两侧铸管平直对正，调整它们之间的距离，然后用螺栓紧固，确保连接牢固，如图8-12所示。

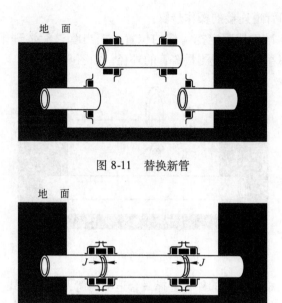

图 8-11 替换新管

图 8-12 连接铸管

8.8 球墨铸铁管的检查与准备

8.8.1 常规检查

球墨铸铁管及管件表面不得有裂纹，铸管及管件不得有妨碍使用的凹凸不平的缺陷。承口内工作面和插口外工作面应光滑、轮廓清晰，不得有影响接口密封的缺陷。铸管及管件尺寸应符合现行的国家标准和国际标准。

8.8.2 校圆

铸管在运输和搬运过程中，可能会造成铸管插口部分产生椭圆而影响安装。鉴于球墨铸铁管具有良好的弹性性能和可塑性能，采用液压或机械的方法，顶起内部，向外压或从铸管外表面使用压力向内压，可将有稍许椭圆的插口校圆。

为了避免损坏水泥砂浆内衬，应当使用与铸管内径形状相似的硬木垫块。

校圆程序如下：

（1）用钢卷尺或游标卡尺测量出椭圆管的最大直径和最小直径，并用记号笔标识清楚，如图8-13所示。

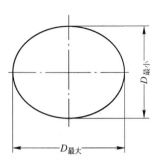

图 8-13　测量椭圆管
最大、最小直径

（2）采用钢丝绳拉伸机或液压千斤顶、木制垫块进行校圆，如图8-14所示。边校边测，避免校过。同时，不要损坏水泥内衬。

（3）也可使用千斤顶使椭圆管的短轴恢复到正常尺寸，如图8-15所示。

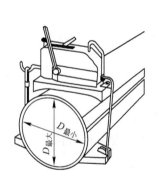

图 8-14　采用钢丝绳拉伸机校圆

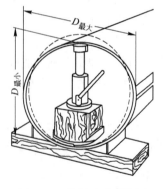

图 8-15　使用千斤顶校圆

8.8.3　切管

因装卸不当，造成部分铸管插口端碰裂或变形太大，需要将此部分切掉。或者在施工时，由于要安装弯管、支管和阀门，要求不同长度的铸管，其具体长度只有在施工现场决定，因此，也要进行切管。

切管前，首先检查铸管损坏程度，如果损坏严重，或管体上有裂纹，应判废；如果是插口变形或插口损坏严重，则切掉损坏部分；由于安装需要（如接弯头等管件）切管时，切管前对铸管的外径尺寸进行确认，即外径尺寸在公差范围内（新兴铸管公司生产的铸管提供一定比例的任意可切割管，并做有任意可切割标记）。

对于因损坏或施工需要对铸管进行切割前，应将需切的铸管放在水平面或方木上，并对切掉部分沿铸管一周用记号笔进行标记，如图8-16所示。

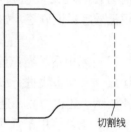

切割线

图 8-16　标记切割线

切割球墨铸铁管，可使用砂轮切割机（图8-17）或电动金属锯切管机（图8-18）。砂轮切割机可以用电或压缩空气带动，也可以靠间接内燃机带动。许多切割机可以装配切割用砂轮和磨光砂轮。如果在施工现场只使用一个切割机，那么这种切割机应适应装配两种砂轮。

使用金刚砂切割砂轮很适用于切割带水泥砂浆内衬的球墨铸铁管。

对做好切割标记的铸管进行切割时，先从一点开始将水泥砂浆内衬的球墨铁管管壁切透，然后沿着做好的标记将铸

图 8-17　使用砂轮切割机切割

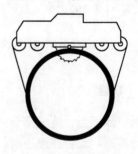

图 8-18　使用电动金属锯切管机切割

管切开。

在使用滑入式接口连接的情况下，必须将新切割的插口端磨光、倒角，使其与原来的插口端外观相同。只有这样，才能将插口顺利地插入承口中，而不损坏密封圈。倒角尺寸如图 8-19 和表 8-3 所示。

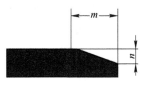

图 8-19　倒角尺寸

表 8-3　切割后倒角尺寸　　　　　　　　（mm）

DN	DE	m	n	DN	DE	m	n
80	98	9	3	600	635	9	3
100	118	9	3	700	738	15	5
125	144	9	3	800	842	15	5
150	170	9	3	900	945	15	5
200	222	9	3	1000	1048	15	5
250	274	9	3	1100	1151	15	5
300	326	9	3	1200	1255	15	5
350	378	9	3	1400	1462	20	7
400	429	9	3	1500	1565	20	7
450	480	9	3	1600	1668	20	7
500	532	9	3	1800	1875	23	8

8.8.4　水泥砂浆内衬的修复

在运输或吊运过程中，由于不注意有时会造成少许内衬的损坏，为保证正常输水及管网的使用寿命，应进行修复。

水泥砂浆内衬修复用的主要材料为水泥、沙子、添加剂（如 108 胶）、饮用水。

修补用水泥砂浆的配比（重量比）为：干燥水泥 2 份: 3 份沙子:1 份添加剂:适量水。

首先混合干燥的沙子和干燥的水泥，将添加剂加入到水中混合均匀（添加剂使用后立即重新密封好，并放在阴凉地方保存），然后慢慢地将添加剂水溶液加入到混合好的水泥沙子中，并彻底搅拌，要注意水泥砂浆不应配置太多，以免过早变硬不能使用。

修补水泥衬所使用的工具有钢丝刷、毛刷、铲刀、抹刀等，如图8-20所示。

水泥衬修补操作：

（1）使用锤子和铲刀清除损坏的水泥内衬，如图8-21所示。清除时不要用力过大，以免破坏周围的内衬。

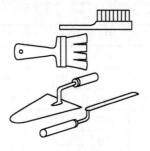

图8-20　水泥衬的修补工具

图8-21　清除损坏的水泥内衬

（2）对清除位置用钢丝刷清理干净，然后用毛刷沾水将这些地方及周围浸湿，但不要积水，如图8-22所示。

（3）使用混合好的水泥砂浆修补这些清理过的地方，并将表面修光滑，如图8-23所示。

图8-22　清理清除位置

图8-23　修补内衬并修光滑

8.8.5 承口、插口打磨

对于承口内密封面上的局部凸起或粘有的少量水泥砂浆残渣，应用铁刷或砂轮机磨掉。

对于铸管插口外端一些局部的飞边毛刺或铁豆，在安装前应打磨平，如插口倒角不够，应在安装前进行倒角。

8.9 滑入式（T型）接口球墨铸铁管的安装

T型接口球墨铸铁管的安装步骤：

（1）安装前的清扫与检查：

1）仔细清扫承口内表密封面以及插口外表面的沙、土等杂物，如图8-24所示；

2）仔细检查连接用密封圈，不得粘有任何杂物；

3）仔细检查插口倒角是否满足安装需要。

图 8-24 清扫承口

（2）放置橡胶圈：

1）对较小规格的橡胶圈，将其弯成"心"形放入承口密封槽内，如图8-25所示；

2）对较大规格的橡胶圈，将其弯成"十"字形，如图8-26所示；

图 8-25 小规格橡胶圈的放置

图 8-26 较大规格橡胶圈的放置

3) 橡胶圈放入后，应施加径向力使其完全放入密封槽内。橡胶圈的放置效果如图 8-27 所示。橡胶圈的放置一定要正确！

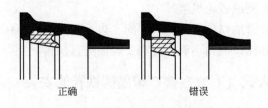

正确　　　　　　　　错误

图 8-27　橡胶圈的放置效果

（3）涂润滑剂。

为了便于管道安装，在安装前对管道及胶圈密封面处涂上一层润滑脂，如图 8-28 所示。

润滑剂不得含有任何有毒成分；应具有良好的润滑性质，不影响橡胶圈的使用寿命；应对管道输送介质无污染；且现场易涂抹。

新兴铸管公司开发了专用润滑剂，对水无污染，对橡胶无副作用。

（4）检查插口安装线。

铸管出厂前已在插口端标志安装线。如在插口没标出安装线或铸管切割后，需要重新在插口端标出。标志线距离插口端为承口深度 −10mm。插口深度如图 8-29 和表 8-4 所示。

图 8-28　润滑剂涂抹位置

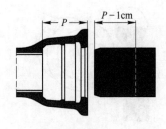

图 8-29　插口端标志线位置

表 8-4　插口深度 　　　　　　　　（mm）

DN	P	DN	P	DN	P
80	90	300	105	700	145
100	92	350	108	800	145
125	95	400	110	1000	155
150	98	450	113	1200	165
200	104	500	115	1400	245
250	104	600	120	1600	265

（5）连接。

1）对于小规格的铸管（一般指 < DN400mm），采用导链（图 8-30）或撬杠（图 8-31）为安装工具，采用撬杠作业时，须在承口垫上硬木块保护。

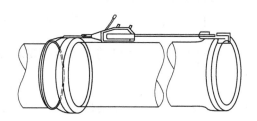

图 8-30　采用导链安装

图 8-31　采用撬杠安装

2）对中大规格的铸管(一般指≥DN400mm),采用的安装工具为挖掘机,如图8-32所示。采用挖掘机须在铸管上与掘斗之间垫上硬木块保护,慢而稳地将铸管推入;采用起重机械安装,需采用专用吊具在管身吊两点,确保平衡,有人工扶着将铸管推入承口。

（6）承口连接检查。

安装完承口、插口连接后,一定要检查连接间隙。沿插口圆周用金属尺插入承插口内,直到顶到橡胶圈的深度,检查所插入的深度应一致,如图8-33所示。

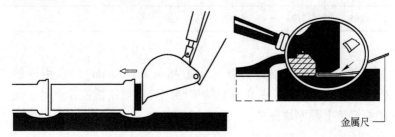

金属尺

图 8-32 采用挖掘机安装　　　图 8-33 承口连接检查

（7）现场安装过程需切割铸管的,切割后要对铸管插口进行修磨、倒角,以便于安装。

8.10 机械式(K型、N型、S型)接口球墨铸铁管的安装

机械式柔性接口球墨铸铁管的组装非常容易,但没有正确的结合则容易发生问题,所以要依照以下步骤进行安装:

（1）安装前的清扫与检查:

1）仔细清扫承口内表密封面以及插口外表面的沙、土等杂物,如图8-24所示;

2）仔细检查连接用密封圈,不得粘有任何杂物。

（2）装入压兰和橡胶圈。

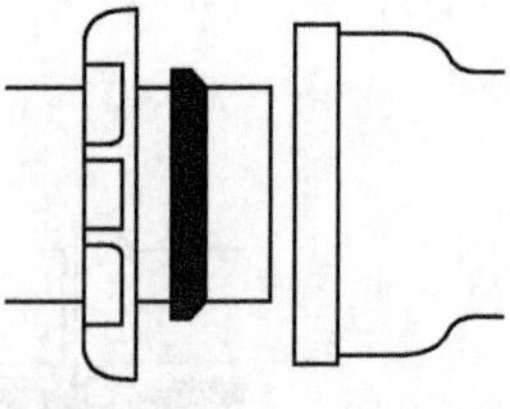

把压兰和橡胶圈套在插口端,如图8-34

图 8-34 将压兰和
橡胶圈套入插口

所示。注意橡胶圈的方向，橡胶圈带有斜度的一端朝向承口端。

（3）承口、插口定位。

将插口推入承口内，完全推入承口端部后再拔出 10mm，如图 8-35 所示。

（4）压兰及橡胶圈的安装：

1）将橡胶圈推入承口内，然后将压兰推入顶住橡胶圈，插入螺栓，用手将螺母拧住，如图 8-36 所示。

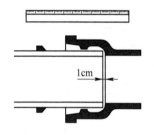

图 8-35　承口、插口定位

图 8-36　插入螺栓

2）检查压兰的位置正确与否，然后用扳手按对称（如图8-37所示）顺序拧紧螺母，如图 8-38 所示。应反复拧紧，不要一次拧紧。

最好使用测力扳手，连接螺栓的力矩应达到要求：

ϕ12～22mm 螺栓　　力矩≥12m·kgf（约 120N·m）

ϕ27～30mm 螺栓　　力矩≥30m·kgf（约 300N·m）

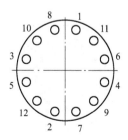

图 8-37　螺母拧紧顺序

图 8-38　拧紧螺母

注意事项:

①对于口径较大的管道,在拧紧螺母过程中,要用吊车将铸管或管件吊起,使承口和插口保持同心。

②试压完后一定要检查螺栓,有必要再拧紧一次。

(5) 用于燃气的铸管,出厂前已对承口内壁和插口外壁密封面修磨光滑。现场安装需要切管的,切管后应对插口外壁修磨光滑,以确保接口的密封性。

8.11　法兰型接口球墨铸铁管的安装

法兰型接口球墨铸铁管安装和拆卸(修理、检查、保养)是很方便的,安装时要遵循螺栓的紧固顺序和转矩。安装步骤为:

(1) 清理和校正法兰盘:

1) 检查法兰盘和橡胶垫的表面质量,清理法兰盘的密封面;

2) 排好安装顺序;

3) 在要连接的两个法兰盘之间留下一点插入橡胶垫的间隙。

(2) 插入橡胶垫:

1) 在两个法兰之间放入橡胶垫,如图 8-39 所示。穿上螺栓,可借助胶带使密封固定;

2) 使橡胶垫在两法兰盘的凸部密封面对中,如图 8-40 所示。

(3) 紧固螺栓。

图 8-39　放入橡胶垫

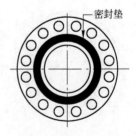

图 8-40　橡胶垫对中

按顺序（图8-41）紧固螺栓，最好使用测力扳手，使螺栓达到要求的力矩。

注意事项：

试压完后一定要检查螺栓，有必要再拧紧一次。

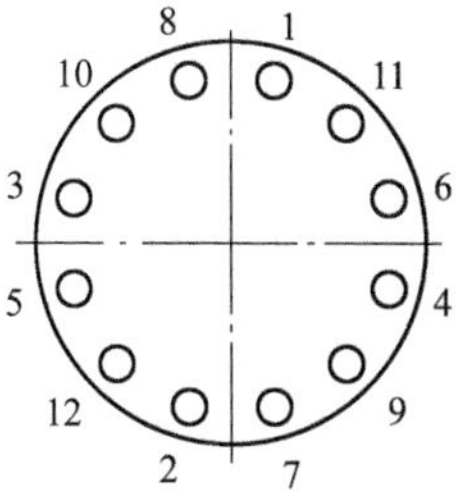

图 8-41　螺栓紧固顺序

8.12　连接偏转

球墨铸铁管连接允许有一定的偏转角，偏转角度可以使大半径的管线拐弯不依赖于使用管件，还能吸收一定的基础变形和位移，如图8-42所示。其偏转角如表8-5所示。

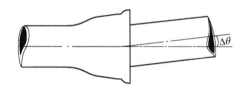

图 8-42　连接偏转

表 8-5　球墨铸铁管连接允许的偏转角

DN/mm	偏转角度 θ	管端位移/mm	最小弯曲半径/m
80 ~ 150	5°	525	69
200 ~ 300	4°	420	86
350 ~ 600	3°	314	115
700 ~ 800	2°	210	200
900 ~ 1000	1°30′	210	267
1100 ~ 1200	1°30′	157	267
1400 ~ 2600	1°30′	209	305

借助铸管连接的偏转角，可以较为方便地实现管道的大拐弯。

大拐弯的计算如图8-43所示。

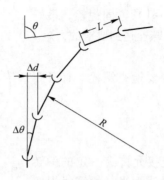

图 8-43 大拐弯的计算

拐弯半径：
$$R = \frac{L}{2}\sin\left(\frac{\Delta\theta}{2}\right)$$

所需铸管的根数：
$$N = \frac{\theta}{\Delta\theta}$$

方向改变的长度：
$$C = NL$$

式中 Δd——管端部位移；

L——管长；

θ——偏转角度；

C——偏转长度。

8.13 供水、排水管线试验与验收

对供水、排水管线，安装后应按 ISO 10802 做静态水压试验。

8.13.1 试验前的准备及试验参数的确定

试验管段长度的确定：

（1）根据现场的水源、地势以及组成管线的管件及附件数量等情况进行确定。

（2）对有压管线，一般情况下（无特殊说明），试验管段长度不得超过 1500m。

试验管段应符合下列规定：

对有压管线,所有管线方向或尺寸改变之处在试验之前要进行封堵,如弯头、三通、渐缩管、盲板。封堵方式可用塞入堵塞物或锁定接头,锁定装置的设计要根据试验压力的大小确定;要用盲板或其他类型的堵头对试验部分进行隔离。如因现场实际情况所限,用阀门代替盲板做堵头,试验压力不应超过阀门所能承受的压力等级。当评估试验部分的渗水量时,应考虑进去阀门的渗水量。

试验之前的回填：

（1）一般来说,试压的管线均应全部回填后再试压。遇到特殊要求时,可以留出接口部分不回填,而管身中间要充分回填,以避免试压过程中管体移动。

（2）在土质软弱的情况下,用沙子回填到管身中间或上部较好。特别注意的是,不使已安装好的管线产生下沉。

充水：

充水装置应在整个试验管段的最低处,充水速度应尽量慢,以使管道内空气全部被挤出。

试验管段最低点的试验压力应按以下规定执行：

（1）工作压力小于等于 1MPa 的管线,试验压力为工作压力的 1.5 倍；

（2）工作压力大于等于 1MPa 的管线,试验压力为工作压力加 0.5MPa。

8.13.2 试验方法

考虑到在压力作用下会产生一些移动以及内衬会吸收一些水等情况,宜在试验管段充满水后,在不大于工作压力条件下充分浸泡再进行试压。球墨铸铁管的浸泡时间为：

（1）无水泥砂浆内衬,不少于24h；

（2）有水泥砂浆内衬,不少于48h。

8.13.2.1　压力下降试验

充满水的试验管段,使其压力保持在试验压力 ±0.01MPa 之间，约 1h 后，撤掉水泵，不再充水。按以下时间保压：

    ≤DN600mm 的铸管   1h

    600mm < DN ≤ 1400mm 的铸管   3h

    DN > 1400mm 的铸管   6h

达到保压时间，记录试验压力降低情况。

测量水的流失量的方法：一是测量使试验管段恢复到原试验压力 ±0.01MPa 的补充水量（精确度为 ±5%）；二是先恢复试验压力，然后再测量使压力降至保压结束时的出水量。

8.13.2.2   保压试验

充满水的试验管段，使其压力保持在试验压力 ±0.01MPa 之间，约 1h 后，通过充水继续保持试验管段试验压力 ±0.01MPa。按以下时间保压：

    ≤DN600mm 的铸管   1h

    600mm < DN ≤ 1400mm 的铸管   3h

    DN > 1400mm 的铸管   6h

达到保压时间，测量使其保持压力状态的进水量（精确度为 ±5%）。

8.13.3   验收与冲洗

验收标准：

对有压管线：在静压状态下，水的损失量为不大于 0.001 L/（km·mm·h·0.1MPa）。即相当于每 1km DN100mm 管线在试验压力 1MPa 下，每 1h 漏水不应大于 1L，为可接受值。

在有仰角的管线中，各处的压力不尽相同，所以各段水损失量的接受值应根据这一段的实际压力来考虑。

对无压管线：水的损失量为不大于 0.1L/（km·mm），但当试验压力超过 0.1MPa，其可接受值同压力管线一样。

冲洗消毒：

（1）给水管道水压试验后，竣工验收前应冲洗消毒。

（2）冲洗时应避开用水高峰，以流速不小于 1.0m/s 的冲洗水连续冲洗，直至出水口处浊度、色度与入水口处冲洗水浊度、色度相同为止。

（3）冲洗时应保证排水管路畅通安全。

（4）管道应采用含量不低于 20mg/L 氯离子浓度的清洁水浸泡 24h，再次冲洗，直至水质管理部门取样化验合格为止。

8.14　球墨铸铁管的焊接

球墨铸铁管具有一定的可焊性，当需要在管道上钻孔安装连接台或在插口端焊接锁紧环锚固接口时，可采用焊接的办法。焊接尽可能在室内进行，避免温度对焊接质量的影响。

焊接时用的工具有电焊机（最小电流为 150A）、砂轮机、镍焊条、铜导环。

图 8-44　砂轮清理

首先，用砂轮仔细清理铸管外表面，如图 8-44 所示。打磨不得影响管壁厚度。

然后，装夹铜导环。铜导环一定要与管壁紧贴，必要时可用锤子轻敲，如图 8-45 所示。

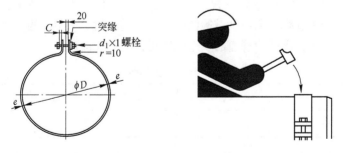

图 8-45　装夹铜导环

堆焊锁紧环或连接台如图 8-46 所示，要分层焊接，保证焊接质量。

图 8-46 焊接

8.15 燃气管线试验与验收

8.15.1 一般规定

一般规定：

（1）管道安装完毕后应依次进行管道吹扫、强度试验和严密性试验。

（2）燃气管道穿（跨）越大中型河流、铁路、二级以上公路、高速公路时，应单独进行试压。

（3）管道吹扫、强度试验及中高压管道严密性试验前应编制施工方案，制定安全措施，确保施工人员及附近民众与设施的安全。

（4）试验时应设巡视人员，无关人员不得进入。在试验的连续升压过程中和强度试验的稳压结束前，所有人员不得靠近试验区。人员离试验管道的安全间距可按表 8-6 确定。

表 8-6　安全间距

管道设计压力/MPa	<0.4	0.4~1.6	2.5~4.0
安全间距/m	6	10	20

（5）管道上的所有堵头必须加固牢靠，试验时堵头端严禁人员靠近。

（6）吹扫和待试验管道应与无关系统采取隔离措施，与已运行的燃气系统之间必须加装盲板且有明显标志。

（7）试验前应按设计图检查管道的所有阀门，试验段必须全部开启。

（8）在对聚乙烯管道或钢骨架聚乙烯复合管道吹扫及试验时，进气口应采取油水分离及冷却等措施，确保管道进气口气体干燥，且其温度不得高于40℃；排气口应采取防静电措施。

（9）试验时所发现的缺陷，必须待试验压力降至大气压后进行处理，处理合格后应重新试验。

8.15.2 管道吹扫

管道吹扫应按下列要求选择气体吹扫或清管球清扫：

（1）球墨铸铁管道、聚乙烯管道、钢骨架聚乙烯复合管道和公称直径小于100mm或长度小于100m的钢质管道，可采用气体吹扫。

（2）公称直径大于或等于100mm的钢质管道，宜采用清管球进行清扫。

管道吹扫应符合下列要求：

（1）吹扫范围内的管道安装工程除补口、涂漆外，已按设计图纸全部完成。

（2）管道安装检验合格后，应由施工单位负责组织吹扫工作，并应在吹扫前编制吹扫方案。

（3）应按主管、支管、庭院管的顺序进行吹扫，吹扫出的脏物不得进入已合格的管道。

（4）吹扫管段内的调压器、阀门、孔板、过滤网、燃气表等设备不应参与吹扫，待吹扫合格后再安装复位。

（5）吹扫口应设在开阔地段并加固，吹扫时应设安全区域，吹扫出口前严禁站人。

（6）吹扫压力不得大于管道的设计压力，且不应大于0.3MPa。

（7）吹扫介质宜采用压缩空气，严禁采用氧气和可燃性气体。

（8）吹扫合格设备复位后，不得再进行影响管内清洁的其他作业。

气体吹扫应符合下列要求：

（1）吹扫气体流速不宜小于20m/s。

（2）吹扫口与地面的夹角应在30°～45°之间，吹扫口管段与被吹扫管段必须采取平缓过渡对焊，吹扫口直径应符合表8-7的规定。

表 8-7　吹扫口直径　　　　　　　　　　（mm）

末端管道公称直径	DN＜150	150≤DN≤300	DN≥350
吹扫口公称直径	与管道同径	150	250

（3）每次吹扫管道的长度不宜超过500m；当管道长度超过500m时，宜分段吹扫。

（4）当管道长度在200m以上，且无其他管段或储气容器可利用时，应在适当部位安装吹扫阀，采取分段储气，轮换吹扫；当管道长度不足200m，可采用管道自身储气放散的方式吹扫，打压点与放散点应分别设在管道的两端。

（5）当目测排气无烟尘时，应在排气口设置白布或涂白漆木靶板检验，5min内靶上无铁锈、尘土等其他杂物为合格。

清管球清扫应符合下列要求：

（1）管道直径必须是同一规格，不同管径的管道应断开分别进行清扫。

（2）对影响清管球通过的管件、设施，在清管前应采取必要措施。

（3）清管球清扫完成后，应按气体吹扫要求第（5）条进行检验，如不合格可采用气体再清扫至合格。

8.15.3　强度试验

强度试验前应具备下列条件：

（1）试验用的压力计及温度记录仪应在校验有效期内。

（2）试验方案已经批准，有可靠的通信系统和安全保障措施，已进行了技术交底。

（3）管道焊接检验，清扫合格。

（4）埋地管道回填土宜回填至管上方 0.5m 以上，并留出焊接口。

管道应分段进行压力试验，试验管道分段最大长度宜按表 8-8 执行。

表 8-8　管道试压分段最大长度

设计压力/MPa	PN≤0.4	0.4＜PN≤1.6	1.6＜PN≤4.0
试验管段最大长度/m	1000	5000	10000

管道试验用压力计及温度记录仪表均不应少于两块，并应分别安装在试验管道的两端。

试验用压力计的量程应为试验压力的 1.5～2 倍，其精度不得低于 1.5 级。

强度试验压力和介质应符合表 8-9 的规定。

表 8-9　强度试验压力和介质

管 道 类 型	设计压力/MPa	试验介质	试验压力/MPa
钢　　管	PN＞0.8	清洁水	1.5PN
	PN≤0.8		1.5PN 且≥0.4
球墨铸铁管	PN		1.5PN 且≥0.4
钢骨架聚乙烯复合管	PN	压缩空气	1.5PN 且≥0.4
聚乙烯管	PN（SDR11）		1.5PN 且≥0.4
	PN（SDR17.6）		1.5PN 且≥0.2

水压试验时，试验管段任何位置的管道环向应力不得大于管材标准屈服强度的 90%。架空管道采用水压试验前，应核算管道及其支撑结构的强度，必要时应临时加固。试压宜在环境温度

5℃以上进行，否则应采取防冻措施。

水压试验应符合现行国家标准 GB/T 16805《液体石油管道压力试验》的有关规定。

进行强度试验时，压力应逐步缓升，首先升至试验压力的50%，应进行初检，如无泄漏、异常，继续升压至试验压力，然后宜稳压 1h 后，观察压力计不应少于 30min，无压力降为合格。

水压试验合格后，应及时将管道中的水放（抽）净，并按本规范第 12.2 节的要求进行吹扫。

经分段试压合格的管段相互连接的焊缝，经射线照相检验合格后，可不再进行强度试验。

8.15.4 严密性试验

（1）严密性试验应在强度试验合格、管线全线回填后进行。

（2）试验用的压力计应在校验有效期内，其量程应为试验压力的 1.5～2 倍，其精度等级、最小分格值及表盘直径应满足表 8-10 的要求。

表 8-10 试压用压力表选择要求

量程/MPa	精度等级	最小表盘直径/mm	最小分格值/MPa
0～0.1	0.4	150	0.0005
0～1.0	0.4	150	0.005
0～1.6	0.4	150	0.01
0～2.5	0.25	200	0.01
0～4.0	0.25	200	0.01
0～6.0	0.16	250	0.01
0～10	0.16	250	0.02

（3）严密性试验介质宜采用空气，试验压力应满足下列要求：

1）设计压力小于 5kPa 时，试验压力应为 20kPa。

2）设计压力大于或等于 5kPa 时，试验压力应为设计压力的 1.15 倍，且不得小于 0.1MPa。

（4）试压时的升压速度不宜过快。对设计压力大于 0.8MPa 的管道试压，压力缓慢上升至 30% 和 60% 试验压力时，应分别停止升压，稳压 30min，并检查系统有无异常情况，如无异常情况继续升压。管内压力升至严密性试验压力后，待温度、压力稳定后开始记录。

（5）严密性试验稳压的持续时间应为 24h，每小时记录不应少于 1 次，当修正压力降小于 133Pa 时为合格。修正压力降应按下式确定：

$$\Delta p' = (H_1 + B_1) - (H_2 + B_2)\frac{273 + t_1}{273 + t_2}$$

式中　$\Delta p'$——修正压力降，Pa；

H_1，H_2——试验开始和结束时的压力计读数，Pa；

B_1，B_2——试验开始和结束时的气压计读数，Pa；

t_1，t_2——试验开始和结束时的管内介质温度，℃。

（6）所有未参加严密性试验的设备、仪表、管件，应在严密性试验合格后进行复位，然后按设计压力对系统升压，应采用发泡剂检查设备、仪表、管件及其与管道的连接处，不漏为合格。

附　　录

附录 A　球墨铸铁管设计方法

（ISO 10803—1999）

A1　范　围

本设计标准适用于输送水、污水和其他流体的球墨铸铁管：

——有压或无压管道；

——有或没有地面和交通荷载。

A2　引用标准

以下引用标准所包含的条款，一经本标准引用，即构成本标准之条款。凡是标有日期的引用标准，其随后所有的修订版均不适用。但是，鼓励本标准达成协议各方研究采用最新版本标准可能性进行研究。对于未标明日期之引用标准，最新版本之标准文件视为适用。ISO 和 IEC 的成员持有现行有效的国际标准登记簿。

ISO 2531—1998：用于水或燃气的球墨铸铁管，配件、附件及其他接头。

ISO 6708—1995：管道工程部件——定义和 DN（额定尺寸）的选择。

ISO 7186—1996：污水用球墨铸铁产品。

ISO 7268—1983/Amd. 1—1984：管道部件——额定压力的定义——修改件1。

ISO 10802—1992：球墨铸铁管道——安装后的液压试验。

A3 术语和定义

对于本国际标准，ISO 7268—1983/Amd. 1—1984 给出的定义及以下定义当适用。

A3. 1 允许工作压力

部件在长期使用中能够安全承受的内部压力，包括冲击压。

A3. 2 允许最大工作压力

部件在长期使用中能够安全承受的内部最大压力，包括冲击压。

A3. 3 允许试验压力

新安装在地面上或掩埋在地下的部件在短时间内可承受的最大的液体静压力。

注：本试验压力不同于系统的试验压力，后者与管道的设计压力有关，目的是保证管道的整体密封性能。

A3. 4 埋置

材料在埋设的管道周围的布置及形式，对管道性能具有影响作用。

见附图 A-1。

A3. 5 底层

埋置的下面部分，由下底层（必要时）和上底层构成。

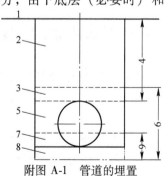

附图 A-1 管道的埋置

1—地面；2—主回填层；3—初始回填层；4—覆盖土层深度；
5—侧面填土层；6—填置层；7—上底层；8—下底层；9—底层

见附图 A-1。

A3. 6　底层反作用角

计算模式中使用的约定角，用于计算管道内底的实际土壤压力分布。

A3. 7　压实

在安装过程中将土壤有意地压实。

A3. 8　标准葡氏密度

AASHTO T99 定义的使用 2. 5kg 夯锤和 305mm 锤落的土壤压实度。

A4　设计程序

管壁厚度应具备足够的强度来抗衡流体的内部压力以及因回填和交通产生的外部荷载的影响。

使用第 A5 条款和第 A6 条款给出的公式，可以通过两种方式设计埋设的管道：由期望的内部压力和外部荷载计算管壁厚度，或对每种选用的管壁厚度确定允许压力和覆盖土层的高度。附录 A1 和 A2 分别给出这两种情况。

设计公式可用来计算最小的管壁厚度 t，作为 t_1 和 t_2 的较大值：

——t_1 用于承受因内部压力造成的圆周应力（见第 A5 条款）；

——t_2 用于限制因外部荷载造成的径向偏移和弯曲应力（见第 A6 条款）。

然后，将 ISO 2531 规定的铸造公差加到最小管壁厚度 t 上，确定需要的额定管壁厚度；这样就可以选择适当的标准厚度等级。

本程序是基于内部压力和外部荷载的单独设计；这是因为球墨铸铁管组合应力的边际效应是为高的设计安全系数充分覆盖的（见 A5. 2）。

注：国家标准和法规可以规定其他的设计方法。

A5 内部压力的设计

A5.1 设计公式

$$t_1 = \frac{p(D - t_1)SF}{2R_\mathrm{m}}$$

式中 t_1——承受由内部压力引起的环向应力所需最小管壁厚度，mm；

p——内部压力，MPa（见 A5.2）；

D——ISO 2531 中规定的管道外径，mm；

R_m——材料的最小抗拉强度，MPa（ISO 2531 规定为 420MPa）；

SF——设计安全系数（见 A5.2）。

A5.2 设计安全系数

最小的管壁厚度 t_1 在最大允许工作压力下应采用设计安全系数 2.5 进行计算，而在允许工作压力下则应采用设计安全系数 3 进行计算。

注：符合 ISO 10802 的已安装球墨铸铁管道的现场试验允许使用附录 A1 所示的允许试验压力以下的试验压力进行。

A6 外部荷载的设计

A6.1 设计公式

$$\Delta = \frac{K_\mathrm{x}q}{8S + 0.061E'} \times 100\%$$

其中：

$$S = \frac{EI}{(D - t_\mathrm{m})^3}$$

$$I = \frac{(t_2 + 0.65 + 0.0005\mathrm{DN})^3}{12}$$

$$t_\mathrm{m} = \frac{t_2 + t}{2}$$

式中　Δ——管道的径向偏移，用外径 D 的百分数表示；

K_x——取决于底层反作用角的偏移系数；

q——因外部所有的荷载造成的管顶上的垂直压力，MPa；

S——管道的径向刚度，MPa（见 ISO 2531 和 ISO 7186）；

E'——土壤反作用模量，MPa；

E——管壁材料的弹性模量，MPa（球墨铸铁为 170000MPa）；

I——单位长度管道面积的二次矩，mm^3；

D——ISO 2531 规定的管道外径，mm；

t_m——管道径向刚度的计算厚度，mm；

t_2——限制由外部荷载引起的径向偏移和弯曲应力的最小管壁厚度，mm；

t——管壁公称厚度（见 A6.4，注 2），mm。

注：本设计公式是基于 Spangler 模型（见附图 A-2），其中向下作用的垂直压力 q：

——在管道顶部沿着直径范围是均匀分布的；

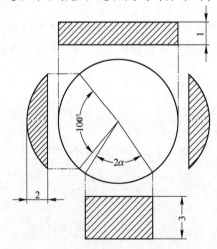

附图 A-2　Spangler 模型

1—q；2—$0.01\Delta E'$；3—$\dfrac{q}{\sin\alpha}$

——同管道内底向上作用的压力相等，均匀地分布在底层反作用角 2α 范围；

——产生一个管道偏移，使管道侧面受到一个横向的反作用压力，在 100° 角范围内为抛物线分布。

A6.2 施于管道上的荷载

作用在管道顶部的总垂直压力 q 为两个压力之和：

$$q = q_1 + q_2$$

式中 q_1——地面荷载的压力；

q_2——交通荷载的压力。

注：交通荷载的压力 q_2 要大于加在地面上的普通静荷载的压力；不过任何不正常的地面荷载可能需要特别进行考虑。

A6.2.1 地面荷载的压力

下式应用于由管道上方紧挨的地面棱柱的重量计算 q_1：

$$q_1 = 0.001\gamma H$$

式中 q_1——管道顶部的压力，MPa；

γ——回填层的单位重量，kN/m^3；

H——覆盖土层的高度（从管道顶部到地面的距离），m。

在没有其他数据的情况下，土壤的单位重量，对于最大多数的情形应取为 $20kN/m^3$。不过，若初步的地质勘测确定的实际单位重量不到 $20kN/m^3$，也可以使用实际值来确定 q_1；或者，实际值高于 $20kN/m^3$，则应作用实际值。

A6.2.2 交通荷载的压力

q_2 的值应按照国家和/或地方适用的标准和法规来计算。

然而，下面的简化公式因其覆盖了大多数的交通法规和类型，可以用来计算 q_2：

$$q_2 = 0.04 \frac{\beta}{H} (1 - 2 \times 10^{-4} DN)$$

式中 q_2——管道顶部的压力，MPa；

β——交通荷载系数；

H——覆盖土层的高度，m；

DN——额定尺寸。

注1：当 $H < 0.3$m 时，本公式不适用。

应考虑的三种交通荷载类型为：

——主道路，$\beta = 1.5$：这是一般的情形，出入道路除外；

——出入道路，$\beta = 0.75$：禁止车辆行驶的道路；

——乡村地区，$\beta = 0.5$：所有其他的情形。

注2：在有些国家，国家法规要求使用较大的 β 值。

所有的管线在设计上至少是 $\beta = 0.5$，而相邻道路铺设的管线在设计上应能承受道路的满荷载。最后，对于管线可能处在交通荷载特别高的情形，可使用系数 $\beta = 2$ 或 $\beta > 2$。

注3：对于埋设在铁路或机场地下或承受工地上繁忙交通荷载的管线，另加特别要求。

A6.3 土壤与管道的相互作用

底层反作用角取决于安装条件（底层、侧面填土压实）以及管道的径向偏移（特别是大尺寸管道）。

侧面填土层的土壤反作用 E' 的模量取决于埋填的土壤类型和管沟类型（见附录 A3）。在缺少适用标准或其他数据时，在设计阶段，对五种典型的管沟类型和六种土壤类型使用附表 A-1 给出的 E' 值（见附录 A4）。

注1：这些数据对埋设在路堤和管沟内的管道有效。

注2：初步地质勘测允许土壤的分类和 E' 值的正确选择。

注3：当管沟支撑留在原位，或被取出，以便使侧面填土层压实在原来的管壁上，附表 A-1 的 E' 值适用；否则使用减小的 E' 值。

注4：地面情况非常不好时，必须使用一种保持土壤安定的垫层，防止埋填移动，造成土壤反作用模量 E' 损失。

附表 A-1　土壤反作用模量 E′

管 沟 类 型	1	2	3	4	5
埋　　填	堆　填	很轻压实	轻压实	中度压实	高度压实
标准葡式侧填密度	①	>75	>80	>85	>90
底层反作用角（2α）	30°	45°	60°	90°	150°
K_x	0.108	0.105	0.102	0.096	0.085
E′/MPa					
土壤类别 A	4	4	5	7	10
土壤类别 B	2.5	2.5	3.5	5	7
土壤类别 C	1	1.5	2	3	5
土壤类别 D	0.5	1	1.5	2.5	3.5
土壤类别 E	②	②	②	②	②
土壤类别 F	②	②	②	②	②

①根据土壤类别及其含水量，只要在管沟内堆填土壤就能达到标准葡式侧填密度 70%～80%。

②使用 OE′ 值时应能保证始终达到高的值。

A6.4　允许的管道径向偏移

对于大多数常用的管道，附表 A-2 给出允许的管道径向偏移 Δ_{max}。这些值提供足够的安全性，以抗衡管壁的屈服弯曲强度、衬里变形、接缝渗漏以及管道的耐液压能力降低。但是，国家标准和/或工厂的产品目录可制定更加严格的限制。例如，对于水泥砂浆衬里，该值为 3%。

附表 A-2　允许的管道径向偏移

DN/mm	Δ_{max}/%					
	符合 ISO 7186 的管道		符合 ISO 2531 的管道 K9		符合 ISO 2531 的管道 K10	
	水泥砂浆内衬	挠性内衬①	水泥砂浆内衬	挠性内衬①	水泥砂浆内衬	挠性内衬①
40			0.45	0.45	0.45	0.45
50			0.55	0.55	0.55	0.55

DN/mm	Δ_{max}/%					
	符合 ISO 7186 的管道		符合 ISO 2531 的管道 K9		符合 ISO 2531 的管道 K10	
	水泥砂浆内衬	挠性内衬①	水泥砂浆内衬	挠性内衬①	水泥砂浆内衬	挠性内衬①
60			0.65	0.65	0.65	0.65
65			0.70	0.70	0.70	0.70
80			0.85	0.85	0.85	0.85
100	1.65	1.65	1.05	1.05	1.05	1.05
125	2.00	2.00	1.30	1.30	1.20	1.20
150	2.30	2.30	1.55	1.55	1.40	1.40
200	2.70	2.70	1.90	1.90	1.70	1.70
250	2.95	2.95	2.20	2.20	2.00	2.00
300	3.00	3.20	2.50	2.50	2.25	2.25
350	3.10	3.50	2.70	2.70	2.45	2.45
400	3.20	3.75	2.90	2.90	2.60	2.60
450	3.30	3.95	3.05	3.05	2.75	2.75
500	3.40	4.20	3.25	3.25	2.90	2.90
600	3.60	4.55	3.55	3.55	3.20	3.20
700	3.80	4.25	3.75	3.75	3.40	3.40
800	4.00	4.50	4.00	4.00	3.55	3.55
900	4.00	4.65	4.15	4.15	3.75	3.75
1000	4.00	4.85	4.30	4.30	3.85	3.85
1100	4.00	4.45	4.00	4.45	4.00	4.00
1200	4.00	4.55	4.00	4.55	4.00	4.10
1400	4.00	4.75	4.00	4.75	4.00	4.25
1500	4.00	4.80	4.00	4.80	4.00	4.35
1600	4.00	4.90	4.00	4.90	4.00	4.40
1800	4.00	5.00	4.00	5.00	4.00	4.50
2000	4.00	5.00	4.00	5.00	4.00	4.60
2200	4.00	5.00	4.00	5.00	4.00	4.70
2400	4.00	5.00	4.00	5.00	4.00	4.75
2600	4.00	5.00	4.00	5.00	4.00	4.85

①挠性内衬里指能够经受管道径向偏移两倍 Δ_{max} 而不产生裂纹的衬里。

注1：对于每一 DN，允许的管道径向偏移 Δ_{max} 是以下三个极限值中最低的；

1）$\Delta_1 = 15\%$。

2）提供安全系数2、防止衬里不可逆损坏的 Δ_2：

——对于水泥砂浆内衬（DN≥300mm）：

$$\Delta_2 = 3 + \frac{DN - 300}{500}$$

最大4%；

——对于挠性内衬：

$\Delta_2 = 2\Delta_3$，最大10%。

3）提供安全系数1.5，保证球墨铸铁管壁屈服弯曲强度的 Δ_3：

$$\Delta_3 = 100 \frac{R_f(D - t)}{SFEtDF}$$

式中　R_f——管壁材料的屈服弯曲强度（球墨铸铁的 R_f = 500MPa）；

　　　D——ISO 2531 和 ISO 7186 规定的管道外径，mm；

　　　t——额定管壁厚度，mm

　　　SF——安全系数，（$SF = 1.5$）；

　　　E——管壁材料的弹性模量，（球墨铸铁的 $E = 170000$MPa）；

　　　DF——主要取决于管道径向刚度和变形系数（球墨铸铁管道的 DF = 3.5）。

注2：额定管壁厚度 t 是根据 ISO 2531 对符合 ISO 2531 的管道规定的。对于符合 ISO 7186 的管道，t 等于 ISO 7186 给出的最小管壁厚度加上制造公差（$1.3 + 0.001$DN，mm）。

附录 A-a　允许压力

（提示性）

附表 A-a-1 给出符合 ISO 2531R K9 和 K10 窝接式接头管的允许压力，由第 A5 款的公式和数据得出。

注：其他的限制可以防止这些压力被满程用在安装的管道中，例如某些类型的特殊连接管，锚接系统的形式和设计，其他管道元件（三通、阀门、法兰等）。

附表 A-a-1   允许压力   （MPa）

DN/mm	K9			K10		
	允许工作压力	最大允许工作压力	允许试验压力	允许工作压力	最大允许工作压力	允许试验压力
40	6.4	7.7	9.6	6.4	7.7	9.6
50	6.4	7.7	9.6	6.4	7.7	9.6
60	6.4	7.7	9.6	6.4	7.7	9.6
65	6.4	7.7	9.6	6.4	7.7	9.6
80	6.4	7.7	9.6	6.4	7.7	9.6
100	6.4	7.7	9.6	6.4	7.7	9.6
125	6.4	7.7	9.6	6.4	7.7	9.6
150	6.4	7.7	9.6	6.4	7.7	9.6
200	6.2	7.4	7.9	6.4	7.7	9.6
250	5.4	6.5	7.0	6.1	7.3	7.8
300	4.9	5.9	6.4	5.6	6.7	7.2
350	4.5	5.4	5.9	5.1	6.1	6.6
400	4.2	5.1	5.6	4.8	5.8	6.3
450	4.0	4.8	5.3	4.5	5.4	5.9
500	3.8	4.6	5.1	4.4	5.3	5.8
600	3.6	4.3	4.8	4.1	4.9	5.4
700	3.4	4.1	4.6	3.8	4.6	5.1
800	3.2	3.8	4.3	3.6	4.3	4.8
900	3.1	3.7	4.2	3.5	4.2	4.7
1000	3.0	3.6	4.1	3.4	4.1	4.6
1100	2.9	3.5	4.0	3.2	3.8	4.3
1200	2.8	3.4	3.9	3.2	3.8	4.3
1400	2.8	3.3	3.8	3.1	3.7	4.2

DN/mm	K9			K10		
	允许工作压力	最大允许工作压力	允许试验压力	允许工作压力	最大允许工作压力	允许试验压力
1500	2.7	3.2	3.7	3.0	3.6	4.1
1600	2.7	3.2	3.7	3.0	3.6	4.1
1800	2.6	3.1	3.6	3.0	3.6	4.1
2000	2.6	3.1	3.6	2.9	3.5	4.0
2200	2.6	3.1	3.6	2.9	3.5	4.0
2400	2.5	3.0	3.5	2.9	3.4	3.9
2600	2.5	3.0	3.5	2.8	3.4	3.9

注：1MPa = 10bar。

附录 A-b　覆土层允许深度

（提示性）

A-b.1　概述

附表 A-b-2 ~ 附表 A-b-4 给出覆土层的允许深度，由第 A6 款的公式和数据计算出，并假定了 β 的三个不同值，六种土壤类型和五种不同的管沟类型。

注：对 E 和 F 类型土壤采用 OE' 值；这种限制情形可能出现在土壤的承载能很差和/或土壤很黏、未压实的状况。

A-b.2　符合 ISO 7186 标准的水泥砂浆内衬管道的允许覆土层深度（附表 A-b-2）

附表 A-b-2　符合 ISO 7186 标准的水泥砂浆内衬管道的允许覆土层深度

DN /mm	土壤类型	允许覆土层深度/m ($\beta = 0.5/0.75/1.5$)[①]				
		1 类管沟	2 类管沟	3 类管沟	4 类管沟	5 类管沟
100	A	20.5/20.5/20.4	21.1/21.1/21.0	22.2/22.2/22.2	24.7/24.7/24.6	29.7/29.7/29.6
	B	19.8/19.8/19.7	20.4/20.4/20.3	21.5/21.5/21.4	23.6/23.6/23.6	27.9/27.9/27.8

DN /mm	土壤类型	允许覆土层深度/m ($\beta=0.5/0.75/1.5$)①				
		1类管沟	2类管沟	3类管沟	4类管沟	5类管沟
100	C	19.1/19.1/19.0	19.9/19.9/19.8	20.7/20.7/20.7	22.6/22.6/22.5	26.7/26.7/26.6
	D	18.9/18.9/18.8	19.7/19.7/19.6	20.5/20.5/20.4	22.3/22.3/22.2	25.8/25.8/25.7
	E/F	18.7/18.6/18.6	19.2/19.2/19.1	19.8/19.7/19.7	21.0/21.0/20.9	23.7/23.7/23.7
125	A	14.3/14.3/14.2	14.8/14.7/14.6	15.8/15.8/15.7	18.1/18.0/17.9	22.6/22.5/22.5
	B	13.5/13.4/13.3	13.9/13.8/13.7	14.9/14.8/14.8	16.8/16.7/16.7	20.4/20.4/20.3
	C	12.6/12.6/12.5	13.3/13.3/13.1	14.0/13.9/13.9	15.5/15.5/15.4	19.0/18.9/18.9
	D	12.3/12.3/12.2	13.0/13.0/12.8	13.7/13.7/13.5	15.2/15.2/15.1	17.9/17.9/17.8
	E/F	12.1/12.0/11.9	12.4/12.4/12.3	12.8/12.8/12.6	13.6/13.6/13.4	15.4/15.3/15.3
150	A	11.6/11.6/11.5	12.0/11.9/11.8	13.0/13.0/12.9	15.3/15.3/15.2	19.8/19.8/19.7
	B	10.7/10.6/10.5	11.0/10.9/10.8	12.0/11.9/11.8	13.8/13.8/13.7	17.3/17.3/17.2
	C	9.7/9.6/9.4	10.3/10.2/10.1	10.9/10.9/10.8	12.4/12.3/12.2	15.7/15.6/15.5
	D	9.3/9.3/9.1	9.9/9.9/9.8	10.6/10.5/10.4	12.0/12.0/11.8	14.4/14.4/14.3
	E/F	9.0/8.9/8.8	9.3/9.2/9.0	9.6/9.5/9.3	10.2/10.1/10.0	11.5/11.5/11.3
200	A	10.1/10.1/9.9	10.4/10.3/10.2	11.5/11.5/11.3	14.0/13.9/13.8	18.7/18.7/18.6
	B	8.9/8.9/8.7	9.2/9.2/9.0	10.3/10.3/10.1	12.3/12.2/12.1	15.8/15.8/15.7
	C	7.8/7.7/7.5	8.4/8.4/8.2	9.1/9.0/8.8	10.5/10.5/10.3	13.9/13.8/13.7
	D	7.4/7.3/7.1	8.0/8.0/7.8	8.7/8.6/8.4	10.1/10.1/9.9	12.4/12.4/12.3
	E/F	7.0/6.9/6.7	7.2/7.2/6.9	7.4/7.4/7.2	7.9/7.9/7.7	9.0/8.9/8.8
250	A	9.6/9.5/9.3	9.9/9.8/9.7	11.1/11.0/10.9	13.6/13.6/13.5	18.6/18.6/18.5
	B	8.3/8.3/8.1	8.6/8.5/8.3	9.7/9.7/9.5	11.8/11.7/11.6	15.4/15.4/15.3
	C	7.1/7.0/6.7	7.7/7.6/7.4	8.4/8.3/8.1	9.9/9.8/9.7	13.3/13.3/13.2
	D	6.6/6.6/6.3	7.3/7.2/6.9	7.9/7.9/7.7	9.4/9.3/9.2	11.7/11.7/11.5
	E/F	6.2/6.1/5.8	6.4/6.3/6.0	6.6/6.5/6.3	7.0/6.9/6.7	8.0/7.9/7.7
300	A	8.5/8.4/8.3	8.8/8.7/8.5	9.9/9.9/9.7	12.5/12.4/12.3	17.3/17.3/17.2
	B	7.2/7.1/6.9	7.4/7.3/7.1	8.6/8.5/8.3	10.6/10.5/10.4	14.1/14.1/14.0
	C	5.9/5.8/5.5	6.5/6.5/6.2	7.2/7.1/6.9	8.6/8.6/8.4	11.9/11.9/11.8
	D	5.5/5.4/5.1	6.1/6.0/5.7	6.8/6.7/6.4	8.2/8.1/7.9	10.3/10.3/10.1
	E/F	5.0/4.9/4.6	5.2/5.1/4.8	5.3/5.3/4.9	5.7/5.6/5.3	6.5/6.4/6.2

DN /mm	土壤类型	允许覆土层深度/m $(\beta = 0.5/0.75/1.5)$①				
		1 类管沟	2 类管沟	3 类管沟	4 类管沟	5 类管沟
350	A	7.7/7.6/7.4	7.9/7.9/7.7	9.1/9.1/8.9	11.7/11.6/11.5	16.6/16.5/16.4
	B	6.3/6.3/6.0	6.6/6.5/6.2	7.7/7.6/7.4	9.7/9.6/9.5	13.2/13.2/13.1
	C	5.0/4.9/4.6	5.6/5.5/5.2	6.3/6.2/5.9	7.7/7.6/7.4	11.0/10.9/10.8
	D	4.6/4.4/4.0	5.2/5.1/4.7	5.8/5.7/5.4	7.2/7.1/6.9	9.3/9.3/9.1
	E/F	4.1/3.9/3.5	4.2/4.1/3.7	4.4/4.2/3.8	4.7/4.5/4.2	5.2/5.2/4.9
400	A	7.0/7.0/6.7	7.3/7.2/6.9	8.4/8.4/8.2	11.0/11.0/10.8	15.9/15.9/15.8
	B	5.6/5.6/5.3	5.8/5.7/5.4	7.0/6.9/6.7	9.0/8.9/8.7	12.5/12.4/12.3
	C	4.2/4.1/3.7	4.8/4.8/4.4	5.5/5.4/5.1	6.9/6.8/6.6	10.2/10.1/10.0
	D	3.7/3.6/3.1②	4.4/4.2/3.8	5.0/4.9/4.6	6.4/6.3/6.1	8.4/8.4/8.2
	E/F	3.2/3.1/③	3.4/3.2/③	3.5/3.3/2.7②	3.7/3.6/3.1②	4.3/4.2/3.7
450	A	6.8/6.7/6.5	7.0/6.9/6.7	8.2/8.1/7.9	10.8/10.8/10.7	15.8/15.8/15.7
	B	5.3/5.3/4.9	5.5/5.4/5.1	6.7/6.6/6.4	8.7/8.7/8.5	12.3/12.2/12.1
	C	3.9/3.7/3.2②	4.5/4.4/4.0	5.2/5.1/4.8	6.6/6.5/6.3	9.9/9.8/9.7
	D	3.4/3.2/③	4.0/3.8/3.4	4.7/4.5/4.2	6.1/6.0/5.7	8.1/8.0/7.8
	E/F	2.8/2.6/③	2.9/2.7/③	3.1/2.9/③	3.3/3.1/③	3.8/3.7/3.2②
500	A	6.4/6.4/6.1	6.7/6.6/6.3	7.9/7.8/7.6	10.6/10.5/10.4	15.7/15.6/15.5
	B	5.0/4.9/4.5	5.1/5.0/4.7	6.3/6.3/6.0	8.4/8.3/8.1	12.0/11.9/11.8
	C	3.4/3.3/2.7②	4.1/3.9/3.5	4.8/4.7/4.3	6.2/6.1/5.8	9.5/9.5/9.3
	D	2.9/2.7/③	3.6/3.4/2.9②	4.2/4.1/3.7	5.6/5.6/5.3	7.7/7.6/7.4
	E/F	2.3/2.1/③	2.4/2.2/③	2.5/2.3/③	2.7/2.6/③	3.2/3.0/③
600	A	6.3/6.2/5.9	6.4/6.3/6.1	7.7/7.7/7.4	10.5/10.5/10.3	15.8/15.8/15.7
	B	4.7/4.6/4.2	4.8/4.7/4.4	6.1/6.0/5.7	8.2/8.2/8.0	11.9/11.9/11.8
	C	3.0/2.8/③	3.7/3.6/3.1②	4.4/4.3/3.9	5.9/5.8/5.5	9.3/9.3/9.1
	D	2.4/2.2/③	3.2/2.9/③	3.8/3.7/3.2②	5.3/5.2/4.9	7.3/7.3/7.1
	E/F	1.8/③/③	1.9/1.5②/③	2.0/1.7/③	2.2/1.9/③	2.6/2.4/③

DN /mm	土壤类型	允许覆土层深度/m ($\beta = 0.5/0.75/1.5$) [①]				
		1 类管沟	2 类管沟	3 类管沟	4 类管沟	5 类管沟
700	A	7.4/7.3/7.1	7.6/7.6/7.4	9.0/9.0/8.8	12.0/12.0/11.9	17.7/17.7/17.6
	B	5.8/5.7/5.4	5.9/5.9/5.6	7.3/7.2/7.0	9.6/9.5/9.4	13.6/13.6/13.5
	C	4.1/4.0/3.6	4.8/4.7/4.4	5.5/5.5/5.2	7.2/7.1/6.9	10.8/10.8/10.7
	D	3.5/3.4/2.8 [②]	4.2/4.1/3.7	5.0/4.9/4.5	6.5/6.5/6.2	8.8/8.8/8.6
	E/F	2.9/2.7/[③]	3.1/2.8/[③]	3.2/3.0/[③]	3.4/3.2/2.7 [②]	3.9/3.7/3.3
800	A	7.3/7.3/7.1	7.6/7.5/7.3	9.0/8.9/8.8	12.1/12.1/12.0	18.1/18.0/18.0
	B	5.6/5.5/5.3	5.8/5.7/5.4	7.2/7.1/6.9	9.6/9.5/9.4	13.7/13.7/13.6
	C	3.8/3.7/3.3	4.6/4.5/4.1	5.3/5.3/5.0	7.0/6.9/6.7	10.8/10.8/10.7
	D	3.2/3.1/2.5 [②]	4.0/3.8/3.4	4.7/4.6/4.3	6.3/6.3/6.0	8.7/8.6/8.5
	E/F	2.6/2.4/[③]	2.7/2.5/[③]	2.8/2.6/[③]	3.0/2.8/[③]	3.5/3.3/2.8 [②]
900	A	7.0/7.0/6.8	7.2/7.2/7.0	8.7/8.6/8.5	11.8/11.7/11.6	17.6/17.6/17.5
	B	5.3/5.2/4.9	5.4/5.4/5.1	6.8/6.8/6.6	9.2/9.2/9.0	13.3/13.3/13.2
	C	3.5/3.3/2.9 [②]	4.3/4.1/3.7	5.0/4.9/4.6	6.6/6.6/6.3	10.4/10.4/10.3
	D	2.9/2.7/[③]	3.6/3.5/3.0	4.4/4.3/3.9	6.0/5.9/5.7	8.3/8.2/8.0
	E/F	2.2/2.0/[③]	2.3/2.1/[③]	2.4/2.2/[③]	2.6/2.4/[③]	3.1/2.9/[③]
1000	A	6.8/6.7/6.5	7.0/6.9/6.7	8.4/8.3/8.2	11.5/11.5/11.3	17.3/17.3/17.2
	B	5.0/4.9/4.7	5.2/5.1/4.8	6.6/6.5/6.3	8.9/8.8/8.8	13.0/13.0/12.9
	C	3.2/3.1/2.6 [②]	4.0/3.8/3.5	4.7/4.7/4.3	6.3/6.3/6.1	10.1/10.1/10.0
	D	2.6/2.4/[③]	3.4/3.2/2.7 [②]	4.1/4.0/3.6	5.7/5.6/5.4	7.9/7.9/7.7
	E/F	1.9/1.6/[③]	2.0/1.7/[③]	2.1/1.8/[③]	2.3/2.1/[③]	2.7/2.5/[③]
1100	A	7.7/7.6/7.4	7.9/7.8/7.6	9.3/9.3/9.2	12.5/12.4/12.3	18.4/18.4/18.3
	B	5.9/5.9/5.6	6.1/6.0/5.8	7.5/7.5/7.3	9.9/9.9/9.8	14.1/14.1/14.0
	C	4.2/4.1/3.7	4.9/4.8/4.5	5.7/5.6/5.3	7.3/7.3/7.1	11.2/11.2/11.1
	D	3.6/3.4/3.0	4.3/4.2/3.9	5.1/5.0/4.7	6.7/6.7/6.4	9.1/9.0/8.9
	E/F	3.0/2.8/[③]	3.1/2.9/2.3 [②]	3.2/3.0/2.5 [②]	3.4/3.2/2.8 [②]	3.9/3.8/3.4

DN /mm	土壤类型	允许覆土层深度/m $(\beta = 0.5/0.75/1.5)$ [①]				
		1 类管沟	2 类管沟	3 类管沟	4 类管沟	5 类管沟
1200	A	7.4/7.4/7.2	7.7/7.6/7.4	9.1/9.0/8.9	12.2/12.2/12.1	18.2/18.1/18.1
	B	5.7/5.6/5.4	5.9/5.8/5.6	7.3/7.2/7.0	9.7/9.6/9.5	13.8/13.8/13.7
	C	3.9/3.8/3.5	4.7/4.6/4.3	5.4/5.4/5.1	7.1/7.0/6.8	10.9/10.9/10.8
	D	3.3/3.2/2.7 [②]	4.1/4.0/3.6	4.8/4.8/4.4	6.4/6.4/6.2	8.8/8.7/8.6
	E/F	2.7/2.5/③	2.8/2.7/③	2.9/2.7/③	3.2/3.0/2.5 [②]	3.6/3.5/3.1
1400	A	7.1/7.0/6.8	7.3/7.3/7.1	8.7/8.7/8.6	11.8/11.8/11.7	17.7/17.7/17.6
	B	5.4/5.3/5.0	5.5/5.5/5.2	6.9/6.9/6.7	9.3/9.3/9.1	13.4/13.4/13.3
	C	3.6/3.5/3.1	4.3/4.3/3.9	5.1/5.0/4.8	6.7/6.7/6.5	10.5/10.5/10.4
	D	3.0/2.8/2.3 [②]	3.7/3.6/3.2	4.5/4.4/4.1	6.1/6.0/5.8	8.3/8.3/8.2
	E/F	2.4/2.2/③	2.5/2.2/③	2.6/2.3/③	2.7/2.6/③	3.2/3.0/2.6 [②]
1500	A	6.9/6.9/6.7	7.1/7.1/6.9	8.6/8.5/8.4	11.7/11.6/11.5	17.5/17.5/17.4
	B	5.2/5.1/4.9	5.3/5.3/5.0	6.8/6.7/6.5	9.1/9.1/8.9	13.2/13.2/13.1
	C	3.4/3.3/2.9	4.2/4.1/3.7	4.9/4.8/4.6	6.5/6.5/6.3	10.3/10.3/10.2
	D	2.8/2.7/2.0 [②]	3.5/3.4/3.0	4.3/4.2/3.9	5.9/5.8/5.6	8.1/8.1/7.9
	E/F	2.2/2.0/③	2.2/2.1/③	2.4/2.2/③	2.6/2.3/③	3.0/2.8/2.2 [②]
1600	A	6.9/6.8/6.6	7.1/7.0/6.9	8.5/8.4/8.3	11.6/11.6/11.5	17.4/17.4/17.3
	B	5.1/5.1/4.8	5.3/5.2/5.0	6.7/6.6/6.4	9.0/9.0/8.9	13.1/13.1/13.0
	C	3.4/3.3/2.8	4.1/4.0/3.7	4.8/4.8/4.5	6.5/6.4/6.2	10.2/10.2/10.1
	D	2.8/2.6/2.0 [②]	3.5/3.4/3.0	4.2/4.2/3.8	5.8/5.8/5.5	8.1/8.0/7.9
	E/F	2.1/1.9/③	2.2/2.0/③	2.3/2.1/③	2.5/2.3/③	2.9/2.7/2.2 [②]
1800	A	6.7/6.7/6.5	6.9/6.8/6.7	8.3/8.3/8.2	11.4/11.4/11.3	17.2/17.2/17.1
	B	5.0/4.9/4.7	5.1/5.1/4.8	6.5/6.4/6.3	8.8/8.8/8.7	12.9/12.9/12.8
	C	3.2/3.1/2.7	3.9/3.8/3.5	4.7/4.6/4.3	6.3/6.2/6.0	10.0/10.0/9.9
	D	2.6/2.4/③	3.3/3.2/2.8	4.0/4.0/3.7	5.6/5.6/5.3	7.8/7.8/7.7
	E/F	1.9/1.7/③	2.0/1.8/③	2.1/1.9/③	2.3/2.1/③	2.7/2.5/1.9 [②]

DN /mm	土壤 类型	允许覆土层深度/m ($\beta=0.5/0.75/1.5$)[①]				
		1 类管沟	2 类管沟	3 类管沟	4 类管沟	5 类管沟
2000	A	6.6/6.5/6.4	6.8/6.7/6.6	8.2/8.1/8.0	11.3/11.2/11.2	17.0/17.0/17.0
	B	4.8/4.8/4.5	5.0/4.9/4.7	6.3/6.3/6.2	8.7/8.7/8.6	12.7/12.7/12.6
	C	3.1/3.0/2.6	3.0/3.7/3.4	4.5/0.5/4.2	6.1/6.1/5.9	9.8/9.8/9.7
	D	2.5/2.3/[③]	3.2/3.1/2.7	3.9/3.8/3.5	5.5/5.4/5.2	7.7/7.6/7.5
	E/F	1.8/1.6/[③]	1.8/1.7/[③]	2.0/1.7/[③]	2.1/1.9/[③]	2.5/2.3/[③]
2200	A	6.5/6.4/6.3	6.7/6.6/6.5	8.1/8.0/7.9	11.1/11.1/11.0	16.9/16.9/16.8
	B	4.8/4.7/4.5	4.9/4.8/4.6	6.3/6.2/6.1	8.6/8.6/8.4	12.6/1.26/12.5
	C	3.0/2.9/2.5	3.7/3.6/3.3	4.4/4.3/4.1	6.0/6.0/5.8	9.7/9.7/9.6
	D	2.4/2.2/[③]	3.1/3.0/2.6	3.8/3.7/3.4	5.4/5.3/5.1	7.5/7.5/7.4
	E/F	1.7/1.4/[③]	1.7/1.5/[③]	1.9/1.6/[③]	2.0/1.8/[③]	2.4/2.2/[③]
2400	A	6.4/6.3/6.2	6.6/6.5/6.4	8.0/7.9/7.8	11.1/11.1/10.9	16.8/16.8/16.7
	B	4.7/4.6/4.4	4.8/4.8/4.5	6.2/6.1/6.0	8.5/8.5/8.4	12.5/12.5/12.4
	C	2.9/2.8/2.4	3.6/3.5/3.2	4.3/4.3/4.1	5.9/5.9/5.8	9.6/9.6/9.5
	D	2.3/2.1/[③]	3.0/2.9/2.5	3.7/3.7/3.4	5.3/5.2/5.0	7.4/7.4/7.3
	E/F	1.6/1.4/[③]	1.7/1.5/[③]	1.8/1.6/[③]	1.9/1.7/[③]	2.2/2.1/[③]
2600	A	6.3/6.3/6.2	6.5/6.5/6.3	7.9/7.9/7.8	11.0/10.9/10.9	16.7/16.7/16.7
	B	4.6/4.5/4.3	4.8/4.7/4.5	6.1/6.1/5.9	8.4/8.4/8.3	12.4/12.4/12.3
	C	2.8/2.7/2.4	3.5/3.5/3.2	4.3/4.2/4.0	5.8/5.8/5.7	9.5/9.5/9.4
	D	2.2/2.1/1.5[②]	2.9/2.8/2.5	3.7/3.6/3.3	5.2/5.2/5.0	7.3/7.3/7.2
	E/F	1.6/1.3/[③]	1.7/1.4/[③]	1.7/1.5/[③]	1.9/1.7/[③]	2.2/2.0/[③]

① 对于所列的土覆土层深度，交通荷载的压力允许使用 0.5/0.75 和 1.5 各荷载系数。

② 允许的覆土层最小深度为 1m。

③ 不推荐。

注：对于 0.8m 以下覆土层深度，可能必须做进一步考虑。

A-b.3 符合 ISO 7186 标准的挠性内衬管道的允许覆土层深

度（附表 A-b-3）

注：对于 0.8m 以下的覆土层深度，可能必须做进一步考虑。

附表 A-b-3　符合 ISO 7186 标准的挠性
内衬管道的允许覆土层深度

DN /mm	土壤 类型	允许覆土层深度/m ($\beta = 0.5/0.75/1.5$) ①				
		1 类管沟	2 类管沟	3 类管沟	4 类管沟	5 类管沟
100	A	20. 5/20. 5/20. 4	21. 1/21. 1/21. 0	22. 2/22. 2/22. 2	24. 7/24. 7/24. 6	29. 7/29. 7/29. 6
	B	19. 8/19. 8/19. 7	20. 4/20. 4/20. 3	21. 5/21. 5/21. 4	23. 6/23. 6/23. 6	27. 9/27. 9/27. 8
	C	19. 1/19. 1/19. 0	19. 9/19. 9/19. 8	20. 7/20. 7/20. 7	22. 6/22. 6/22. 5	26. 7/26. 7/26. 6
	D	18. 9/18. 9/18. 8	19. 7/19. 7/19. 6	20. 5/20. 5/20. 4	22. 3/22. 3/22. 2	25. 8/25. 8/25. 7
	E/F	18. 7/18. 6/18. 6	19. 2/19. 2/19. 1	19. 8/19. 7/19. 7	21. 0/21. 0/20. 9	23. 7/23. 7/23. 7
125	A	14. 3/14. 3/14. 2	14. 8/14. 7/14. 6	15. 8/15. 8/15. 7	18. 1/18. 0/17. 9	22. 6/22. 5/22. 5
	B	13. 5/13. 4/13. 3	13. 9/13. 8/13. 7	14. 9/14. 8/14. 8	16. 8/16. 7/16. 7	20. 4/20. 4/20. 3
	C	12. 6/12. 6/12. 5	13. 3/13. 3/13. 1	14. 0/13. 9/13. 9	15. 5/15. 5/15. 4	19. 0/18. 9/18. 9
	D	12. 3/12. 3/12. 2	13. 0/13. 0/12. 8	13. 7/13. 7/13. 5	15. 2/15. 2/15. 1	17. 9/17. 9/17. 8
	E/F	12. 1/12. 0/11. 9	12. 4/12. 4/12. 3	12. 8/12. 8/12. 6	13. 6/13. 6/13. 4	15. 4/15. 3/15. 3
150	A	11. 6/11. 6/11. 5	12. 0/11. 9/11. 8	13. 0/13. 0/12. 9	15. 3/15. 3/15. 2	19. 8/19. 8/19. 7
	B	10. 7/10. 6/10. 5	11. 0/10. 9/10. 8	12. 0/11. 9/11. 8	13. 8/13. 8/13. 7	17. 3/17. 3/17. 2
	C	9. 7/9. 6/9. 4	10. 3/10. 2/10. 1	10. 9/10. 9/10. 8	12. 4/12. 3/12. 2	15. 7/15. 6/15. 5
	D	9. 3/9. 3/9. 1	9. 9/9. 9/9. 8	10. 6/10. 5/10. 4	12. 0/12. 0/11. 8	14. 4/14. 4/14. 3
	E/F	9. 0/8. 9/8. 8	9. 3/9. 2/9. 0	9. 6/9. 5/9. 3	10. 2/10. 1/10. 0	11. 5/11. 5/11. 3
200	A	10. 1/10. 1/9. 9	10. 4/10. 3/10. 2	11. 5/11. 5/11. 3	14. 0/13. 9/13. 8	18. 7/18. 7/18. 6
	B	8. 9/8. 9/8. 7	9. 2/9. 2/9. 0	10. 3/10. 3/10. 1	12. 3/12. 2/12. 1	15. 8/15. 8/15. 7
	C	7. 8/7. 7/7. 5	8. 4/8. 4/8. 2	9. 1/9. 0/8. 8	10. 5/10. 5/10. 3	13. 9/13. 8/13. 7
	D	7. 4/7. 3/7. 1	8. 0/8. 0/7. 8	8. 7/8. 6/8. 4	10. 1/10. 1/9. 9	12. 4/12. 4/12. 3
	E/F	7. 0/6. 9/6. 7	7. 2/7. 2/6. 9	7. 4/7. 4/7. 2	7. 9/7. 9/7. 7	9. 0/8. 9/8. 8

DN /mm	土壤 类型	允许覆土层深度/m ($\beta = 0.5/0.75/1.5$)①				
		1 类管沟	2 类管沟	3 类管沟	4 类管沟	5 类管沟
250	A	9.6/9.5/9.3	9.9/9.8/9.7	11.1/11.0/10.9	13.6/13.6/13.5	18.6/18.6/18.5
	B	8.3/8.3/8.1	8.6/8.5/8.3	9.7/9.7/9.5	11.8/11.7/11.6	15.4/15.4/15.3
	C	7.1/7.0/6.7	7.7/7.6/7.4	8.4/8.3/8.1	9.9/9.8/9.7	13.3/13.3/13.2
	D	6.6/6.6/6.3	7.3/7.2/6.9	7.9/7.9/7.7	9.4/9.3/9.2	11.7/11.7/11.5
	E/F	6.2/6.1/5.8	6.4/6.3/6.0	6.6/6.5/6.3	7.0/6.9/6.7	8.0/7.9/7.7
300	A	9.1/9.0/8.8	9.3/9.3/9.1	10.6/10.6/10.4	13.3/13.3/13.2	18.5/18.5/18.4
	B	7.7/7.7/7.4	7.9/7.9/7.7	9.2/9.1/8.9	11.3/11.2/11.1	15.1/15.0/14.9
	C	6.3/6.3/6.0	7.0/6.9/6.7	7.7/7.6/7.4	9.2/9.2/9.0	12.8/12.7/12.6
	D	5.9/5.8/5.5	6.5/6.4/6.2	7.2/7.1/6.9	8.7/8.7/8.4	11.0/11.0/10.8
	E/F	5.4/5.3/5.0	6.5/5.5/5.2	5.8/5.7/5.3	6.1/6.0/5.8	6.9/6.9/6.5
350	A	8.7/8.7/8.5	9.0/8.9/8.8	10.3/10.3/10.1	13.2/13.2/13.1	18.7/18.7/18.6
	B	7.2/7.2/6.9	7.4/7.4/7.1	8.7/8.7/8.5	11.0/10.9/10.8	14.9/14.9/14.8
	C	5.7/5.6/5.3	6.4/6.3/6.1	7.1/7.1/6.8	8.7/8.7/8.5	12.4/12.4/12.3
	D	5.2/5.1/4.8	5.9/5.8/5.5	6.6/6.5/6.3	8.2/8.1/7.9	10.5/10.5/10.3
	E/F	4.7/4.5/4.2	4.8/4.7/4.3	5.0/4.9/4.5	5.3/5.2/4.9	6.1/6.0/5.7
400	A	8.3/8.2/8.0	8.5/8.5/8.3	9.9/9.9/9.7	12.9/12.9/12.8	18.7/18.7/18.6
	B	6.7/6.6/6.3	6.9/6.8/6.6	8.2/8.2/8.0	10.6/10.5/10.4	14.7/14.6/14.5
	C	5.0/4.9/4.6	5.8/5.7/5.4	6.5/6.4/6.2	8.2/8.1/7.9	11.9/11.9/11.8
	D	4.5/4.3/4.0	5.2/5.1/4.8	5.9/5.8/5.6	7.5/7.5/7.3	9.9/9.9/9.7
	E/F	3.9/3.8/3.3②	4.1/3.9/3.5	4.2/4.0/3.6	4.5/4.3/4.0	5.1/5.0/4.7
450	A	8.2/8.1/7.9	8.4/8.3/8.2	9.8/9.8/9.7	13.0/13.0/12.9	19.0/18.9/18.9
	B	6.5/6.4/6.1	6.7/6.6/6.3	8.1/8.0/7.8	10.5/10.4/10.3	14.7/14.7/14.6
	C	4.7/4.6/4.3	5.5/5.4/5.1	6.3/6.2/5.9	7.9/7.9/7.7	11.8/11.8/11.7
	D	4.2/4.0/3.6	4.9/4.8/4.4	5.7/5.6/5.3	7.3/7.3/7.0	9.7/9.7/9.5
	E/F	3.6/3.4/2.8②	3.7/3.5/3.0②	3.8/3.6/3.2②	4.1/3.9/3.5	4.7/4.6/4.2

DN /mm	土壤类型	允许覆土层深度/m ($\beta = 0.5/0.75/1.5$)①				
		1 类管沟	2 类管沟	3 类管沟	4 类管沟	5 类管沟
500	A	8.0/8.0/7.8	8.3/8.2/8.0	9.8/9.8/9.6	13.1/13.1/13.0	19.3/19.3/19.3
	B	6.2/6.2/5.9	6.4/6.3/6.1	7.9/7.8/7.6	10.4/10.4/10.3	14.8/14.8/14.7
	C	4.4/4.3/3.9	5.2/5.1/4.8	6.0/5.9/5.6	7.7/7.7/7.4	11.8/11.8/11.6
	D	3.7/3.6/3.1②	4.5/4.4/4.0	5.3/5.4/4.9	7.0/7.0/6.8	9.5/9.5/9.3
	E/F	3.1/2.9/③	3.2/3.0/③	3.3/3.2/③	3.6/3.4/2.9②	4.1/4.0/3.6
600	A	8.0/7.9/7.7	8.2/8.1/7.9	9.8/9.8/9.6	13.3/13.3/13.2	20.0/20.0/19.9
	B	6.0/5.9/5.7	6.2/6.1/5.8	7.8/7.8/7.5	10.4/10.4/10.3	15.1/15.1/15.0
	C	4.0/3.8/3.7	4.8/4.7/4.4	5.7/5.6/5.3	7.5/7.5/7.3	11.8/11.8/11.7
	D	3.3/3.1/③	4.1/4.0/3.6	5.0/4.9/4.5	6.8/6.7/6.5	9.3/9.3/9.2
	E/F	2.6/2.3/③	2.7/2.5/③	2.7/2.6/③	3.0/2.8/③	3.5/3.3/2.7②
700	A	8.3/8.3/8.1	8.6/8.5/8.3	10.1/10.1/9.9	13.5/13.4/13.3	19.8/19.8/19.7
	B	6.5/6.4/6.2	6.7/6.6/6.4	8.2/8.1/7.9	10.8/10.7/10.6	15.2/15.2/15.1
	C	4.6/4.5/4.2	5.4/5.3/5.0	6.3/6.2/5.9	8.0/8.0/7.8	12.2/12.2/12.0
	D	4.0/3.9/3.5	4.8/4.7/4.3	5.6/5.5/5.2	7.3/7.3/7.1	9.9/9.8/9.7
	E/F	3.4/3.2/2.6②	3.5/3.2/2.8②	3.6/3.4/2.9②	3.8/3.7/3.3	4.4/4.3/3.9
800	A	8.3/8.3/8.1	8.5/8.5/8.3	10.2/10.1/10.0	13.7/13.7/13.6	20.3/20.3/20.2
	B	6.3/6.3/6.0	6.5/6.5/6.3	8.1/8.1/7.9	10.8/10.8/10.6	15.5/15.4/15.3
	C	4.4/4.3/3.9	5.2/5.1/4.8	6.1/6.0/5.7	7.9/7.8/7.7	12.2/12.2/12.1
	D	3.7/3.6/3.1	4.5/4.4/4.1	5.4/5.3/5.0	7.2/7.1/6.9	9.8/9.8/9.6
	E/F	3.0/2.8/③	3.1/3.0/③	3.2/3.1/2.5②	3.5/3.3/2.8②	4.0/3.9/3.5
900	A	8.2/8.2/8.0	8.4/8.4/8.3	10.1/10.1/9.9	13.7/13.7/13.6	20.5/20.5/20.4
	B	6.2/6.1/5.9	6.4/6.3/6.1	8.0/7.9/7.8	10.8/10.7/10.6	15.5/15.5/15.4
	C	4.2/4.0/3.7	5.0/4.9/4.6	5.9/5.8/5.5	7.8/7.8/7.5	12.2/12.1/12.0
	D	3.5/3.3/2.8②	4.3/4.2/3.8	5.2/5.1/4.8	7.0/6.9/6.7	9.6/9.6/9.5
	E/F	2.7/2.5/③	2.8/2.7/③	2.9/2.7/③	3.2/3.0/③	3.7/3.5/3.1

DN /mm	土壤 类型	允许覆土层深度/m ($\beta = 0.5/0.75/1.5$)①				
		1 类管沟	2 类管沟	3 类管沟	4 类管沟	5 类管沟
1000	A	8.3/8.2/8.1	8.5/8.5/8.3	10.2/10.2/10.1	14.0/13.9/13.8	21.0/21.0/21.0
	B	6.2/6.1/5.9	6.3/6.3/6.1	8.0/8.0/7.8	10.8/10.8/10.7	15.8/15.8/15.7
	C	4.1/3.9/3.6	4.9/4.8/4.5	5.8/5.8/5.5	7.8/7.7/7.5	12.3/12.3/12.2
	D	3.3/3.2/2.7②	4.2/4.1/3.7	5.1/5.0/4.7	7.0/6.9/6.7	9.7/9.6/9.5
	E/F	2.5/2.3/③	2.7/2.5/③	2.7/2.6/③	3.0/2.8/③	3.4/3.3/2.8②
1100	A	8.5/8.5/8.3	8.8/8.8/8.6	10.4/10.3/10.3	13.9/13.9/13.8	20.5/20.5/20.4
	B	6.6/6.6/6.3	6.8/6.8/6.6	8.4/8.3/8.2	11.1/11.0/10.9	15.7/15.7/15.6
	C	4.7/4.6/4.3	5.5/5.4/5.2	6.3/6.3/6.1	8.2/8.2/8.0	12.5/12.5/12.4
	D	4.0/3.9/3.6	4.8/4.8/4.4	5.7/5.6/5.3	7.5/7.4/7.3	10.1/10.1/9.9
	E/F	3.4/3.2/2.7②	3.5/3.2/2.9	3.6/3.4/3.0	3.8/3.7/3.3	4.4/4.3/4.0
1200	A	8.5/8.4/8.3	8.7/8.7/8.6	10.4/10.3/10.2	13.9/13.9/13.8	20.7/20.6/20.6
	B	6.5/6.5/6.3	6.7/6.7/6.4	8.3/8.3/8.1	11.0/11.0/10.9	15.8/15.7/15.7
	C	4.6/4.5/4.2	5.4/5.3/5.0	6.2/6.2/5.9	8.1/8.1/7.9	12.5/12.4/12.3
	D	3.9/3.8/3.4	4.7/4.6/4.3	5.5/5.5/5.2	7.4/7.3/7.1	10.0/10.0/9.8
	E/F	3.2/3.0/2.5②	3.3/3.2/2.7②	3.4/3.2/2.8	3.7/3.5/3.1	4.2/4.1/3.7
1400	A	8.5/8.4/8.3	8.7/8.7/8.5	10.4/10.4/10.3	14.1/14.1/14.0	21.1/21.1/21.0
	B	6.4/6.4/6.2	6.6/6.6/6.3	8.3/8.2/8.1	11.1/11.0/10.9	15.9/15.9/15.8
	C	4.4/4.3/4.0	5.2/5.1/4.9	6.1/6.0/5.8	8.0/8.0/7.8	12.5/12.5/12.4
	D	3.7/3.5/3.2	4.5/4.4/4.1	5.4/5.3/5.1	7.3/7.2/7.0	9.9/9.9/9.8
	E/F	2.9/2.8/2.2②	3.0/2.9/2.3②	3.2/3.0/2.5②	3.4/3.2/2.8	3.9/3.8/3.4
1500	A	8.3/8.3/8.2	8.6/8.6/8.4	10.3/10.3/10.2	14.0/14.0/13.9	21.0/21.0/21.0
	B	6.3/6.2/6.0	6.5/6.4/6.2	8.1/8.1/7.9	11.0/10.9/10.8	15.8/15.8/15.8
	C	4.2/4.1/3.8	5.1/5.0/4.7	5.9/5.9/5.7	7.9/7.8/7.7	12.4/12.4/12.3
	D	3.5/3.3/3.0	4.3/4.3/3.9	5.2/5.2/4.9	7.1/7.1/6.9	9.8/9.8/9.7
	E/F	2.7/2.6/③	2.8/2.7/2.1②	3.0/2.8/2.2②	3.2/3.0/2.6	3.7/3.5/3.2

DN /mm	土壤类型	允许覆土层深度/m ($\beta = 0.5/0.75/1.5$)[①]				
		1 类管沟	2 类管沟	3 类管沟	4 类管沟	5 类管沟
1600	A	8.5/8.4/8.3	8.7/8.7/8.5	10.4/10.4/10.3	14.2/14.2/14.1	21.4/21.4/21.3
	B	6.3/6.3/6.1	6.5/6.5/6.3	8.2/8.2/8.1	11.1/11.1/11.0	16.1/16.1/16.0
	C	4.2/4.2/3.8	5.1/5.0/4.8	6.0/5.9/5.7	8.0/7.9/7.8	12.6/12.5/12.5
	D	3.5/3.4/3.0	4.3/4.3/4.0	5.3/5.2/4.9	7.2/7.1/7.0	9.9/9.9/9.8
	E/F	2.7/2.6/2.0[②]	2.8/2.7/2.1[②]	3.0/2.8/2.3[②]	3.2/3.0/2.6	3.7/3.5/3.2
1800	A	8.4/8.4/8.3	8.7/8.6/8.5	10.4/10.4/10.3	14.3/14.3/14.2	21.5/21.5/21.5
	B	6.3/6.2/6.0	6.5/6.4/6.2	8.2/8.1/8.0	11.1/11.1/11.0	16.2/16.1/16.1
	C	4.1/4.0/3.7	5.0/4.9/4.7	5.9/5.8/5.6	7.9/7.8/7.7	12.6/12.5/12.4
	D	3.4/3.2/2.9	4.2/4.2/3.9	5.1/5.1/4.8	7.1/7.0/6.9	9.8/9.8/9.7
	E/F	2.6/2.4/③	2.7/2.5/1.9[②]	2.8/2.6/2.1[②]	3.0/2.8/2.4	3.4/3.3/3.0
2000	A	8.3/8.2/8.1	8.5/8.5/8.3	10.3/10.2/10.1	14.1/14.1/14.0	21.3/21.3/21.3
	B	6.1/6.1/5.9	6.3/6.3/6.1	8.0/8.0/7.8	10.9/10.9/10.8	15.9/15.9/15.9
	C	3.9/3.9/3.6	4.8/4.8/4.5	5.7/5.7/5.5	7.7/7.7/7.6	12.3/12.3/12.3
	D	3.2/3.1/2.7	4.1/4.0/3.7	5.0/4.9/4.7	6.9/6.9/6.7	9.6/9.6/9.6
	E/F	2.4/2.2/③	2.5/2.3/1.7[②]	2.6/2.4/1.9[②]	2.8/2.7/2.2	3.2/3.1/2.7
2200	A	8.1/8.1/8.0	8.4/8.3/8.2	10.1/10.1/10.0	14.0/13.9/13.9	21.2/21.2/21.1
	B	6.0/5.9/5.8	6.2/6.1/6.0	7.9/7.8/7.7	10.8/10.8/10.7	15.8/15.8/15.7
	C	3.8/3.7/3.5	4.7/4.6/4.4	5.6/5.5/5.3	7.6/7.5/7.4	12.2/12.2/12.1
	D	3.1/3.0/2.6	3.9/3.9/3.6	4.8/4.8/4.6	6.8/6.7/6.6	9.5/9.4/9.3
	E/F	2.3/2.2/③	2.4/2.2/③	2.5/2.3/1.7[②]	2.7/2.5/2.1	3.1/3.0/2.6
2400	A	8.0/8.0/7.9	8.3/8.2/8.1	10.0/10.0/9.9	13.8/13.8/13.8	21.0/21.0/21.0
	B	5.9/5.8/5.7	6.1/6.0/5.9	7.8/7.7/7.6	10.7/10.6/10.6	15.7/15.6/15.6
	C	3.7/3.7/3.4	4.6/4.5/4.3	5.5/5.4/5.3	7.4/7.4/7.3	12.0/12.0/12.0
	D	3.0/2.9/2.5	3.8/3.7/3.5	4.7/4.7/4.5	6.7/6.6/6.5	9.3/9.3/9.2
	E/F	2.2/2.0/③	2.3/2.1/1.5[②]	2.4/2.2/1.7[②]	2.6/2.4/1.9	2.9/2.8/2.5

DN /mm	土壤类型	允许覆土层深度/m ($\beta=0.5/0.75/1.5$)①				
		1 类管沟	2 类管沟	3 类管沟	4 类管沟	5 类管沟
2600	A	7.9/7.9/7.8	8.2/8.2/8.1	9.9/9.9/9.8	13.8/13.7/13.7	20.9/20.9/20.9
	B	5.8/5.8/5.6	6.0/5.9/5.8	7.7/7.6/7.5	10.6/10.5/10.5	15.5/15.5/15.5
	C	3.6/3.6/3.3	4.5/4.4/4.3	5.4/5.3/5.2	7.3/7.3/7.2	11.9/11.9/11.8
	D	2.9/2.8/2.5	3.7/3.7/3.4	4.6/4.6/4.4	6.6/6.5/6.4	9.2/9.2/9.1
	E/F	2.1/2.0/③	2.2/2.1/1.4②	2.3/2.2/1.6②	2.5/2.3/1.9	2.8/2.7/2.4

① 对于所列的土覆土层深度,交通荷载的压力允许使用 0.5/0.75 和 1.5 各荷载系数。

② 允许的覆土层最小深度为 1m。

③ 不推荐。

A-b.4 符合 ISO 2531 标准的水泥砂浆内衬 *K*9 管道的允许覆土层深度（附表 A-b-4）

注：对于 0.8m 以下的覆土层深度，可能必须做进一步考虑。

附表 A-b-4 符合 ISO 2531 标准的水泥砂浆内衬 *K*9 管道的允许覆土层深度

DN /mm	土壤类型	允许覆土层深度/m ($\beta=0.5/0.75/1.5$)①				
		1 类管沟	2 类管沟	3 类管沟	4 类管沟	5 类管沟
40	A	50②/50②/50②	50②/50②/50②	50②/50②/50②	50②/50②/50②	50②/50②/50②
	B	50②/50②/50②	50②/50②/50②	50②/50②/50②	50②/50②/50②	50②/50②/50②
	C	50②/50②/50②	50②/50②/50②	50②/50②/50②	50②/50②/50②	50②/50②/50②
	D	50②/50②/50②	50②/50②/50②	50②/50②/50②	50②/50②/50②	50②/50②/50②
	E/F	50②/50②/50②	50②/50②/50②	50②/50②/50②	50②/50②/50②	50②/50②/50②
50	A	50②/50②/50②	50②/50②/50②	50②/50②/50②	50②/50②/50②	50②/50②/50②
	B	50②/50②/50②	50②/50②/50②	50②/50②/50②	50②/50②/50②	50②/50②/50②
	C	50②/50②/50②	50②/50②/50②	50②/50②/50②	50②/50②/50②	50②/50②/50②
	D	50②/50②/50②	50②/50②/50②	50②/50②/50②	50②/50②/50②	50②/50②/50②
	E/F	50②/50②/50②	50②/50②/50②	50②/50②/50②	50②/50②/50②	50②/50②/50②

DN /mm	土壤类型	允许覆土层深度/m (β=0.5/0.75/1.5) [1]				
		1 类管沟	2 类管沟	3 类管沟	4 类管沟	5 类管沟
60	A	50[2]/50[2]/50[2]	50[2]/50[2]/50[2]	50[2]/50[2]/50[2]	50[2]/50[2]/50[2]	50[2]/50[2]/50[2]
	B	50[2]/50[2]/50[2]	50[2]/50[2]/50[2]	50[2]/50[2]/50[2]	50[2]/50[2]/50[2]	50[2]/50[2]/50[2]
	C	50[2]/50[2]/50[2]	50[2]/50[2]/50[2]	50[2]/50[2]/50[2]	50[2]/50[2]/50[2]	50[2]/50[2]/50[2]
	D	50[2]/50[2]/50[2]	50[2]/50[2]/50[2]	50[2]/50[2]/50[2]	50[2]/50[2]/50[2]	50[2]/50[2]/50[2]
	E/F	50[2]/50[2]/50[2]	50[2]/50[2]/50[2]	50[2]/50[2]/50[2]	50[2]/50[2]/50[2]	50[2]/50[2]/50[2]
65	A	50[2]/50[2]/50[2]	50[2]/50[2]/50[2]	50[2]/50[2]/50[2]	50[2]/50[2]/50[2]	50[2]/50[2]/50[2]
	B	50[2]/50[2]/50[2]	50[2]/50[2]/50[2]	50[2]/50[2]/50[2]	50[2]/50[2]/50[2]	50[2]/50[2]/50[2]
	C	50[2]/50[2]/50[2]	50[2]/50[2]/50[2]	50[2]/50[2]/50[2]	50[2]/50[2]/50[2]	50[2]/50[2]/50[2]
	D	50[2]/50[2]/50[2]	50[2]/50[2]/50[2]	50[2]/50[2]/50[2]	50[2]/50[2]/50[2]	50[2]/50[2]/50[2]
	E/F	50[2]/50[2]/50[2]	50[2]/50[2]/50[2]	50[2]/50[2]/50[2]	50[2]/50[2]/50[2]	50[2]/50[2]/50[2]
80	A	50[2]/50[2]/50[2]	50[2]/50[2]/50[2]	50[2]/50[2]/50[2]	50[2]/50[2]/50[2]	50[2]/50[2]/50[2]
	B	50[2]/50[2]/50[2]	50[2]/50[2]/50[2]	50[2]/50[2]/50[2]	50[2]/50[2]/50[2]	50[2]/50[2]/50[2]
	C	50[2]/50[2]/50[2]	50[2]/50[2]/50[2]	50[2]/50[2]/50[2]	50[2]/50[2]/50[2]	50[2]/50[2]/50[2]
	D	50[2]/50[2]/50[2]	50[2]/50[2]/50[2]	50[2]/50[2]/50[2]	50[2]/50[2]/50[2]	50[2]/50[2]/50[2]
	E/F	50[2]/50[2]/50[2]	50[2]/50[2]/50[2]	50[2]/50[2]/50[2]	50[2]/50[2]/50[2]	50[2]/50[2]/50[2]
100	A	50[2]/50[2]/50[2]	50[2]/50[2]/50[2]	50[2]/50[2]/50[2]	50[2]/50[2]/50[2]	50[2]/50[2]/50[2]
	B	50[2]/50[2]/50[2]	50[2]/50[2]/50[2]	50[2]/50[2]/50[2]	50[2]/50[2]/50[2]	50[2]/50[2]/50[2]
	C	50[2]/50[2]/50[2]	50[2]/50[2]/50[2]	50[2]/50[2]/50[2]	50[2]/50[2]/50[2]	50[2]/50[2]/50[2]
	D	50[2]/50[2]/50[2]	50[2]/50[2]/50[2]	50[2]/50[2]/50[2]	50[2]/50[2]/50[2]	50[2]/50[2]/50[2]
	E/F	50[2]/50[2]/50[2]	50[2]/50[2]/50[2]	50[2]/50[2]/50[2]	50[2]/50[2]/50[2]	50[2]/50[2]/50[2]
125	A	39.2/39.2/39.1	40.3/40.3/40.2	41.9/41.9/41.8	45.3/45.3/45.3	50[2]/50[2]/50[2]
	B	38.6/38.9/38.6	39.7/39.7/39.7	41.3/41.3/41.2	44.5/44.5/44.5	50[2]/50[2]/50[2]
	C	38.1/38.1/38.0	39.4/39.3/39.3	40.7/40.7/40.7	43.7/43.7/43.6	50[2]/50[2]/50[2]
	D	37.9/37.9/37.9	39.2/39.2/39.1	40.5/40.5/40.5	43.5/43.5/43.4	49.6/49.6/49.5
	E/F	37.7/37.7/37.7	38.8/38.8/38.7	39.9/39.9/39.9	42.4/42.4/42.4	47.9/47.9/47.9

DN /mm	土壤类型	允许覆土层深度/m ($\beta = 0.5/0.75/1.5$)①				
		1 类管沟	2 类管沟	3 类管沟	4 类管沟	5 类管沟
150	A	28.4/28.4/28.3	29.2/29.2/29.1	30.5/30.5/30.5	33.4/33.4/33.4	39.4/39.4/39.4
	B	27.7/27.7/27.7	28.5/28.5/28.5	29.8/29.8/29.8	32.4/32.4/32.4	37.8/37.7/37.7
	C	27.1/27.1/27.0	28.1/28.1/28.0	29.1/29.1/29.1	31.5/31.4/31.4	36.7/36.6/36.6
	D	26.8/26.8/26.8	27.8/27.8/27.8	28.9/28.9/28.9	31.2/31.2/31.2	35.8/35.8/35.7
	E/F	26.6/26.6/26.6	27.4/27.4/27.3	28.2/28.2/28.1	30.0/30.0/29.9	33.9/33.8/33.8
200	A	18.9/18.8/18.7	19.4/19.4/19.3	20.6/20.5/20.5	23.1/23.0/23.0	28.1/28.1/28.0
	B	18.1/18.0/17.9	18.6/18.6/18.5	19.7/19.7/19.6	21.8/21.8/21.7	26.1/26.0/26.0
	C	17.2/17.2/17.1	18.0/18.0/17.9	18.8/18.8/18.7	20.6/20.6/20.5	24.7/24.7/24.6
	D	17.0/17.0/16.9	17.7/17.7/17.7	18.6/18.5/18.5	20.3/20.3/20.2	23.7/23.7/23.6
	E/F	16.7/16.7/16.6	17.2/17.2/17.1	17.7/17.7/17.6	18.8/18.8/18.7	21.3/21.2/21.2
250	A	15.5/15.5/15.4	16.0/15.9/15.8	17.1/17.1/17.0	19.6/19.5/19.5	24.5/24.5/24.4
	B	14.6/14.5/14.4	15.0/15.0/14.9	16.1/16.1/16.0	18.2/18.2/18.1	22.1/22.1/22.0
	C	13.6/13.3/13.2	14.3/14.3/14.2	15.1/15.1/15.0	16.7/16.7/16.7	20.5/20.5/20.4
	D	13.3/13.3/13.2	14.0/14.0/13.9	14.8/14.8/14.7	16.4/16.4/16.3	19.3/19.3/19.2
	E/F	13.0/13.0/12.9	13.4/13.4/13.3	13.8/13.8/13.7	14.7/14.6/14.5	16.6/16.6/16.5
300	A	13.3/13.2/13.1	13.6/13.6/13.5	14.8/14.8/14.7	17.3/17.3/17.2	22.3/22.2/22,2
	B	12.2/12.2/12.0	12.5/12.5/12.4	13.7/13.6/13.5	15.7/15.7/15.6	19.6/19.6/19.5
	C	11.1/11.1/10.9	11.8/11.8/11.7	12.5/12.5/12.4	14.1/14.1/14.0	17.8/17.7/17.7
	D	10.8/10.7/10.6	11.4/11.4/11.3	12.2/12.1/12.0	13.7/13.7/13.6	16.4/16.4/16.3
	E/F	10.4/10.4/10.2	10.7/10.7/10.5	11.0/11.0/10.9	11.8/11.7/11.6	13.3/13.3/13.1
350	A	11.9/11.9/11.8	12.3/12.3/12.1	13.5/13.4/13.3	16.0/16.0/15.9	21.1/21.0/21.0
	B	10.8/10.8/10.6	11.1/11.1/10.9	12.3/12.2/12.1	14.3/14.3/14.2	18.1/18.1/18.0
	C	9.6/9.6/9.4	10.3/10.3/10.1	11.0/11.0/10.9	12.6/12.6/12.4	16.2/16.2/16.1
	D	9.3/9.2/9.0	9.9/9.9/9.7	10.6/10.6/10.4	12.2/12.1/12.0	14.8/14.7/14.6
	E/F	8.9/8.8/8.6	9.1/9.1/8.9	9.4/9.3/9.2	10.0/10.0/9.8	11.3/11.3/11.2

DN /mm	土壤 类型	允许覆土层深度/m ($\beta = 0.5/0.75/1.5$)①				
		1 类管沟	2 类管沟	3 类管沟	4 类管沟	5 类管沟
400	A	10.9/10.8/10.7	11.2/11.2/11.0	12.4/12.4/12.3	15.1/15.0/14.9	20.2/20.1/20.1
	B	9.7/9.6/9.4	9.9/9.9/9.8	11.1/11.1/10.9	13.2/13.2/13.1	17.0/17.0/16.9
	C	8.4/8.3/8.2	9.1/9.0/8.8	9.8/9.8/9.6	11.3/11.3/11.2	14.9/14.9/14.8
	D	8.0/7.9/7.7	8.7/8.6/8.4	9.3/9.3/9.1	10.9/10.8/10.7	13.4/13.3/13.2
	E/F	7.6/7.5/7.3	7.8/7.7/7.5	8.0/8.0/7.8	8.6/8.5/8.3	9.7/9.7/9.5
450	A	10.3/10.3/10.2	10.6/10.6/10.4	11.9/11.8/11.7	14.6/14.5/14.4	19.7/19.7/19.7
	B	9.0/9.0/8.8	9.3/9.3/9.1	10.5/10.4/10.3	12.6/12.6/12.5	16.5/16.4/16.3
	C	7.7/7.7/7.4	8.4/8.3/8.1	9.1/9.1/8.9	10.7/10.6/10.5	14.3/14.3/14.2
	D	7.3/7.2/7.0	7.9/7.9/7.7	8.7/8.6/8.4	10.2/10.1/10.0	12.6/12.6/12.5
	E/F	6.8/6.8/6.5	7.0/7.0/6.8	7.3/7.2/7.0	7.7/7.7/7.4	8.8/8.7/8.5
500	A	9.8/9.8/9.7	10.1/10.1/10.0	11.4/11.4/11.3	14.2/14.2/14.1	19.6/19.6/19.5
	B	8.5/8.4/8.2	8.7/8.7/8.5	9.9/9.9/9.8	12.2/12.1/12.0	16.1/16.1/16.0
	C	7.1/7.0/6.8	7.8/7.7/7.5	8.5/8.4/8.2	10.1/10.0/9.9	13.8/13.7/13.6
	D	6.6/6.5/6.3	7.3/7.2/7.0	8.0/7.9/7.7	9.5/9.5/9.3	12.0/11.9/11.8
	E/F	6.1/6.0/5.8	6.3/6.2/6.0	6.5/6.4/6.2	6.9/6.9/6.6	7.8/7.8/7.6
600	A	9.3/9.3/9.1	9.6/9.6/9.4	11.0/11.9/10.8	13.9/13.9/13.8	19.6/19.6/19.5
	B	7.8/7.8/7.5	8.0/8.0/7.8	9.3/9.3/9.5	11.7/11.6/11.5	15.8/15.7/15.6
	C	6.3/6.2/5.9	7.0/6.9/6.7	7.8/7.7/7.5	9.4/9.3/9.2	13.2/13.2/13.1
	D	5.8/5.7/5.4	6.5/6.4/6.1	7.2/7.1/6.9	8.8/8.8/8.6	11.3/11.2/11.1
	E/F	5.3/5.2/4.8	5.4/5.3/5.0	5.6/5.5/5.2	5.9/5.9/5.6	6.8/6.7/6.4
700	A	8.9/8.8/8.7	9.2/9.1/9.0	10.6/10.5/10.4	13.6/13.6/13.5	19.5/19.4/19.4
	B	7.3/7.2/7.0	7.5/7.4/7.3	9.0/8.8/8.7	11.3/11.2/11.1	15.4/15.4/15.3
	C	5.7/5.6/5.3	6.4/6.3/6.1	7.2/7.1/6.9	8.8/8.8/8.6	12.7/12.7/12.6
	D	5.1/5.0/4.7	5.8/5.8/5.5	6.6/6.5/6.3	8.3/8.2/8.0	10.7/10.7/10.5
	E/F	4.6/4.5/4.1	4.7/4.6/4.3	4.9/4.8/4.4	5.2/5.1/4.8	5.9/5.8/5.6

DN /mm	土壤类型	允许覆土层深度/m ($\beta = 0.5/0.75/1.5$)①				
		1类管沟	2类管沟	3类管沟	4类管沟	5类管沟
800	A	8.8/8.8/8.6	9.1/9.0/8.9	10.5/10.5/10.4	13.8/13.7/13.7	19.9/19.9/19.8
	B	7.1/7.0/6.8	7.3/7.3/7.0	8.7/8.7/8.5	11.2/11.2/11.1	15.6/15.5/15.5
	C	5.3/5.3/5.0	6.1/6.0/5.8	6.9/6.8/6.6	8.7/8.6/8.4	12.7/12.7/12.6
	D	4.8/4.7/4.3	5.5/5.4/5.2	6.3/6.2/6.0	8.0/7.9/7.8	10.5/10.5/10.5
	E/F	4.2/4.0/3.7	4.3/4.2/3.8	4.4/4.3/4.0	4.8/4.7/4.3	5.4/5.3/5.1
900	A	8.3/8.3/8.1	8.6/8.5/8.3	10.0/10.0/9.8	13.2/13.2/13.1	19.9/19.9/19.8
	B	6.6/6.5/6.3	6.8/6.7/6.5	8.0/8.0/8.0	10.7/10.6/10.5	15.6/15.5/15.5
	C	4.8/4.8/4.4	5.6/5.5/5.3	6.4/6.3/6.1	8.1/8.0/7.8	12.7/12.7/12.6
	D	4.3/4.2/3.8	5.0/4.9/4.6	5.8/5.7/5.4	7.4/7.4/7.2	10.5/10.5/10.3
	E/F	3.7/3.5/3.1	3.8/3.6/3.2	3.9/3.8/3.4	4.2/4.1/3.7	5.4/5.3/5.1
1000	A	7.9/7.9/7.7	8.2/8.1/8.0	9.6/9.6/9.5	12.8/12.8/12.7	18.8/18.8/18.7
	B	6.2/6.2/5.9	6.4/6.3/6.1	7.8/7.8/7.6	10.3/10.2/10.1	14.5/14.4/14.4
	C	4.5/4.4/4.0	5.2/5.1/4.8	6.0/5.9/5.7	7.7/7.6/7.4	11.6/11.6/11.5
	D	3.9/3.7/3.3	4.6/4.5/4.2	5.4/5.3/5.0	7.0/7.0/6.8	9.4/9.4/9.3
	E/F	3.3/3.1/2.6③	3.4/3.2/2.7③	3.5/3.3/2.9③	3.7/3.6/3.2	4.3/4.2/3.8
1100	A	7.7/7.6/7.4	7.9/7.8/7.6	9.3/9.3/9.2	12.5/12.4/12.3	18.4/18.4/18.3
	B	5.9/5.9/5.6	6.1/6.0/5.8	7.5/7.5/7.3	9.9/9.9/9.8	14.1/14.1/14.0
	C	4.2/4.1/3.7	4.9/4.8/4.5	5.7/5.6/5.3	7.3/7.3/7.1	11.2/11.2/11.1
	D	3.6/3.4/3.0	4.3/4.2/3.9	5.1/5.0/4.7	6.7/6.7/6.4	9.1/9.0/8.9
	E/F	3.0/2.8/④	3.1/2.9/2.3③	3.2/3.0/2.5③	3.4/3.2/2.8③	3.9/3.8/3.4
1200	A	7.4/7.4/7.2	7.7/7.6/7.4	9.1/9.0/8.9	12.2/12.2/12.1	18.2/18.1/18.1
	B	5.7/5.6/5.4	5.9/5.8/5.6	7.3/7.2/7.0	9.7/9.6/9.5	13.8/13.8/13.7
	C	3.9/3.8/3.5	4.7/4.6/4.3	5.4/5.4/5.1	7.1/7.0/6.8	10.9/10.9/10.8
	D	3.3/3.2/2.7③	4.1/4.0/3.6	4.8/4.8/4.4	6.4/6.4/6.2	8.8/8.7/8.6
	E/F	2.7/2.5/④	2.8/2.7/④	2.9/2.7/④	3.2/3.0/2.5③	3.6/3.5/3.1

DN /mm	土壤 类型	允许覆土层深度/m $(\beta = 0.5/0.75/1.5)$ [①]				
		1 类管沟	2 类管沟	3 类管沟	4 类管沟	5 类管沟
1400	A	7.1/7.0/6.8	7.3/7.3/7.1	8.7/8.7/8.6	11.8/11.8/11.7	17.7/17.7/17.6
	B	5.4/5.3/5.0	5.5/5.5/5.2	6.9/6.9/6.7	9.3/9.3/9.1	13.4/13.4/13.3
	C	3.6/3.5/3.1	4.3/4.3/3.9	5.1/5.0/4.8	6.7/6.7/6.5	10.5/10.5/10.4
	D	3.0/2.8/2.3 [③]	3.7/3.6/3.2	4.5/4.4/4.1	6.1/6.0/5.8	8.3/8.3/8.2
	E/F	2.4/2.2/④	2.5/2.2/④	2.6/2.3/④	2.7/2.6/④	3.2/3.0/2.6 [③]
1500	A	7.0/6.9/6.7	7.2/7.1/7.0	8.6/8.6/8.4	11.7/11.7/11.6	17.6/17.5/17.5
	B	5.3/5.2/4.9	5.4/5.3/5.1	6.8/6.8/6.5	9.2/9.1/9.0	13.3/13.2/13.1
	C	3.5/3.3/3.0	4.2/4.1/3.8	5.0/4.9/4.6	6.6/6.5/6.3	10.4/10.3/10.2
	D	2.9/2.7/2.1 [③]	3.6/3.5/3.1	4.3/4.3/3.9	5.9/5.9/5.7	8.2/8.2/8.0
	E/F	2.2/2.0/④	2.3/2.1/④	2.4/2.2/④	2.6/2.4/④	3.0/2.9/2.3 [③]
1600	A	6.9/6.8/6.6	7.1/7.0/6.9	8.5/8.4/8.3	11.6/11.6/11.5	17.4/17.4/17.3
	B	5.1/5.1/4.8	5.3/5.2/5.0	6.7/6.6/6.4	9.0/9.0/8.9	13.1/13.1/13.0
	C	3.4/3.2/2.8	4.1/4.0/3.7	4.8/4.8/4.5	6.5/6.4/6.2	10.2/10.2/10.1
	D	2.8/2.6/2.0 [③]	3.5/3.4/3.0	4.2/4.2/3.8	5.8/5.8/5.5	8.1/8.0/7.9
	E/F	2.1/1.9/④	2.2/2.0/④	2.3/2.1/④	2.5/2.3/④	2.9/2.7/2.2 [③]
1800	A	6.7/6.7/6.5	6.9/6.8/6.7	8.3/8.3/8.2	11.4/11.4/11.3	17.2/17.2/17.1
	B	5.0/4.9/4.7	5.1/5.1/4.8	6.5/6.4/6.3	8.8/8.8/8.7	12.9/12.9/12.8
	C	3.2/3.1/2.7	3.9/3.8/3.5	4.7/4.6/4.3	6.3/6.2/6.0	10.0/10.0/9.9
	D	2.6/2.4/④	3.3/3.2/2.8	4.0/4.0/3.7	5.6/5.6/5.3	7.8/7.8/7.7
	E/F	1.9/1.7/④	2.0/1.8/④	2.1/1.9/④	2.3/2.1/④	2.7/2.5/1.9 [③]
2000	A	6.6/6.5/6.4	6.8/6.7/6.6	8.2/8.1/8.0	11.3/11.2/11.2	17.0/17.0/17.0
	B	4.8/4.8/4.5	5.0/4.9/4.7	6.3/6.3/6.2	8.7/8.7/8.6	12.7/12.7/12.6
	C	3.1/3.0/2.6	3.8/3.7/3.4	4.5/4.5/4.2	6.1/6.1/5.9	9.8/9.8/9.7
	D	2.5/2.3/④	3.2/3.1/2.7	3.9/3.8/3.5	5.5/5.4/5.2	7.7/7.6/7.5
	E/F	1.8/1.6/④	1.8/1.7/④	2.0/1.7/④	2.1/1.9/④	2.5/2.3/④

DN /mm	土壤类型	允许覆土层深度/m (β=0.5/0.75/1.5)[①]				
		1 类管沟	2 类管沟	3 类管沟	4 类管沟	5 类管沟
2200	A	6.5/6.4/6.3	6.7/6.6/6.5	8.1/8.0/7.9	11.1/11.1/11.0	16.9/16.9/16.8
	B	4.8/4.7/4.5	4.9/4.8/4.6	6.3/6.2/6.1	8.6/8.6/8.4	12.6/12.6/12.5
	C	3.0/2.9/2.5	3.7/3.6/3.3	4.4/4.3/4.1	6.0/6.0/5.8	9.7/9.7/9.6
	D	2.4/2.2/[④]	3.1/3.0/2.6	3.8/3.7/3.4	5.4/5.3/5.1	7.5/7.5/7.4
	E/F	1.7/1.4/[④]	1.7/1.5/[④]	1.9/1.6/[④]	2.0/1.8/[④]	2.4/2.2/[④]
2400	A	6.4/6.3/6.2	6.6/6.5/6.4	8.0/7.9/7.8	11.1/11.0/10.9	16.8/16.8/16.7
	B	4.7/4.6/4.4	4.8/4.8/4.5	6.2/6.1/6.0	8.5/8.5/8.4	12.5/12.5/12.4
	C	2.9/2.8/2.4	3.6/3.5/3.2	4.3/4.3/4.1	5.9/5.9/5.8	9.6/9.6/9.5
	D	2.3/2.1/[④]	3.0/2.9/2.5	3.7/3.7/3.4	5.3/5.2/5.0	7.4/7.4/7.3
	E/F	1.6/1.4/[④]	1.7/1.5/[④]	1.8/1.6/[④]	1.9/1.7/[④]	2.2/2.1/[④]
2600	A	6.3/6.3/6.2	6.5/6.5/6.3	7.9/7.9/7.8	11.0/10.9/10.9	16.7/16.7/16.7
	B	4.6/4.5/4.3	4.8/4.7/4.5	6.1/6.1/5.9	8.4/8.4/8.3	12.4/12.4/12.3
	C	2.8/2.7/2.4	3.5/3.5/3.2	4.3/4.2/4.0	5.8/5.8/5.7	9.5/9.5/9.4
	D	2.2/2.1/1.5[③]	2.9/2.8/2.5	3.7/3.6/3.3	5.2/5.2/5.0	7.3/7.3/7.2
	E/F	1.6/1.3/[④]	1.7/1.4/[④]	1.7/1.5/[④]	1.9/1.7/[④]	2.2/2.0/[④]

① 对于所列的土覆土层深度，交通荷载的压力允许使用0.5/0.75和1.5各荷载系数。
② 允许的覆土层深度超过50m。
③ 最小的允许的覆土层深度为1m。
④ 不推荐。

附录 A-c 管沟类型

（提示性）

管沟类型1：堆积埋填；

管沟类型2：标准葡氏密度75%以上的很轻度压实的埋填；

管沟类型3：标准葡氏密度80%以上的轻度压实的埋填；

管沟类型4：标准葡氏密度85%以上的中度轻压实的埋填；

管沟类型5：标准葡氏密度90%以上的高度压实的埋填。

注：当能够做到适当的均匀支撑时，管道通常放在平底管沟上；在其他情况下应使用一层松土做底层。

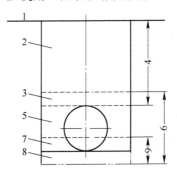

附图 A-c-1　管沟埋填示意

1—地面；2—主回填层；3—初始回填层；4—覆盖土层深度；5—侧面
填土层；6—填置层；7—上底层；8—下底层；9—底层

附录 A-d　土壤分类

（提示性）

以下土壤类别用于埋填的各种土壤，它们用于管道周围管沟内压实的或不压实的埋填，为管道提供支撑。这些类别同制造的材料一样，是根据天然存在的土壤进行分类的。它们也用于对未动用过管沟壁材料的分类。

A 类土壤——尖角均粒石料（6～40mm），还包括一些有地方特色的填料，如碎石、碎砾石、豌豆级砾石和碎壳。

B 类土壤——细粒很少或全无的粗粒土壤。

C 类土壤——粗粒土壤，其所含细料和细粒土壤的塑性为中等到无，粗颗粒多于25%，液态物质限制在50%以下。

D 类土壤——细粒土壤，塑性为中等到高，粗颗粒少于25%，液态物质限制在50%以下。

E 类土壤——细粒土壤，塑性为中等到高，液态物质限制在50%以上。

F 类土壤——有机土壤。

附录 B　埋设条件下的铸管状况

B1　土压的计算

B1.1　覆土的土压

作用于埋设管上的土压计算公式，目前比较经常使用的可以举出以下五个，其中杨森公司与实际情况颇相符合。但在覆土浅的情况下，用垂直公式也没有大的误差，计算也简单，所以推荐使用该式。

B1.1.1　计算式

（1）垂直公式：

$$W = rH \tag{B-1}$$

式中　W——垂直土压；

$\quad\quad r$——土的单位体积重量；

$\quad\quad H$——覆土深度。

（2）杨森公式：

$$W = \frac{r}{2k\tan\phi}\left(1 - e^{-2K\tan\phi\frac{H}{B}}\right)B \tag{B-2}$$

式中　B——沟的宽度；

$\quad\quad \phi$——土壤的摩擦角；

$\quad\quad K$——兰金系数，$K = \dfrac{1 - \sin\phi}{1 + \sin\phi}$；

$\quad\quad e$——自然对数的底。

（3）马斯顿—安德孙（公式1）：

$$W = CrB^2 \tag{B-3}$$

式中　W——作用于单位管长上的外部垂直载荷；

$\quad\quad C$——实验系数。

（4）马斯顿—安德孙（公式2）。

对于容易挠曲的管，在回填充实夯实的情况下，斯潘格拉提出了下式：

$$W = CrB_c B \qquad (B-4)$$

式中　B_c——管的宽度。

（5）富尔林公式：

$$W = r\left[\frac{3}{5} - \frac{(5-H)^3}{3 \times 6^2}\right] \qquad (B-5)$$

B1.1.2　计算值与实测值的比较

覆土深度 2m 时的实验

根据日本文保公司所提供的实验资料表明：用上列的五个公式计算土压，其结果如附表 B-1 所示。

附表 **B-1**　用各种公式计算的覆土 **2m** 时的土压

公式的种类	垂直土压/kPa
垂直公式	36
杨森公式	32
马斯顿公式 1	63
马斯顿公式 2	32
富尔林公式	24

计算中假定土的单位体积重量为 1.8g/cm^3，在马斯顿公式和杨森公式中是假定土壤的摩擦角 $\phi = 40°$。实测值是在 32～37kPa 之间。可以适用的公式是垂直公式、杨森公式、马斯顿公式 2 这三种。其中，杨森公式和马斯顿公式 2 实质上是相同的，所以结果可以认为垂直公式和杨森公式这两个公式是适用的。

B1.2　车辆荷载产生的土压

车辆等集中荷载作用在地面上，传递给埋在地下的管道时，土壤不是等向均质的弹性材料，但这样假定所导出的布辛尼斯克公式却可以适用，而且精度相当高，这是从来为人们所知的。与实测值对比还是很一致的，所以可认为采用布辛尼斯克公式是适当的。

B1.2.1 布辛尼斯克公式

$$P = \frac{3}{2\pi} \frac{H^3}{H_s^5} \rho = \frac{3}{2\pi} \frac{H^3}{(H^2 + r^2)^{5/2}} \rho$$

$$= \frac{3}{2\pi} \frac{H^3}{(H^2 + x^2 + z^2)^{5/2}} \rho \qquad (\text{B-}6)$$

式中 P——集中荷载;

ρ——地下任意一点 A 处的垂直压力;

H——从表面到 A 点的深度;

H_s——从 P 的作用点到 A 点的倾斜距离;

x——r 的横向分量;

z——r 的纵向分量。

B1.2.2 计算值和实测值的对比

车轮正下方的土压计算示意如附图 B-1 所示,各种覆土厚度

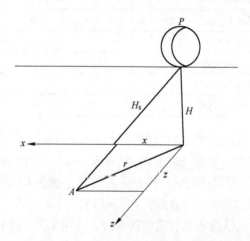

附图 B-1 车轮正下方的土压计算示意

对车轮正下方的土压分布如附图 B-2 所示。图中的冲击系数为 1.5 或 1.0,这是由于汽车通过时,路面凹凸不平,使其重量的作用带有冲击,而考虑了这种重量增加的一个系数。所谓冲击系数 1.0 即是没有因冲击而产生重量的增加。

从附图 B-3 中可以明显地看出，计算值和实测值很一致，所以使用布辛尼斯克公式是适当的。

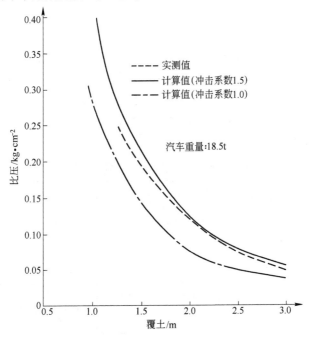

附图 B-2　各种覆土厚度时车辆正下方土压分布

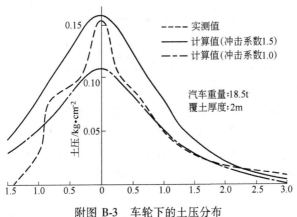

附图 B-3　车轮下的土压分布

B2 铸管在一般情况下产生的应力

这里所说的一般情况为：平底沟、覆土在2m左右。

B2.1 覆土产生的应力分析

覆土在管体各部位产生的应力不同，由实测结果（见附表B-2）表明，在埋设状态下管最大的应力在管体的下部和上部。同时管圆周方向的应力和轴向应力相比较，圆周应力大于轴向应力，圆周方向最大应力又在管中央的上下部，研究强度主要分析最大应力处。

附表 B-2　铸管在埋设状态下的应力与弯矩

公称直径 φ1350mm 管壁厚 17.5mm	未　夯　实		夯　　实	
	应力/MPa	弯矩/kg·cm	应力/MPa	弯矩/kg·cm
上　　部	43.3	221	38.2	195
斜右上部	19.7	101	16.0	82
右侧部	38.8	198	31.3	160
斜右下部	34.0	174	26.6	136
下　　部	140.1	715	70.7	361
斜左下部	35.8	183	15.9	81
左侧部	35.7	182	35.9	184
斜左上部	17.7	91	7.1	36

B2.2 计算式

由于回填土作用在管体上的土压，可以简化如附图 B-4所示的假想。上部大致是均布荷载，支承荷载的管底，由于是平底沟，所以是以某一个小的角度来支承的。左右两侧由于管体的变形，可以考虑为一个抛物线形，其最大值在管两侧的正中。

现在为了简化计算，上部考虑为均布荷载，左右两侧考虑为

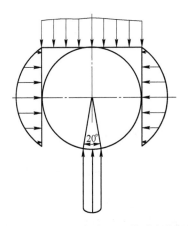

附图 B-4　在埋设状态下的管受力分析图

正中为顶点的三角形分布。未夯实的以及夯实情况下的土压分布近似于附图 B-5。

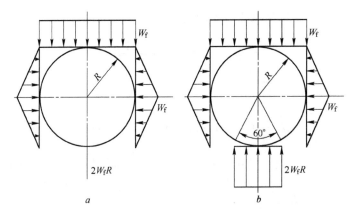

附图 B-5　未夯实及夯实情况下回填土的土压力分布

a—未夯实；*b*—夯实

土压力分布如附图 B-5 时，从理论上推导弯矩公式如下：

（1）附图 B-5*a* 的情况：

1）$x = 0 \sim \dfrac{\pi}{2}$：

$$M_x = W_f R^2 \left[0.766 + 0.106(1 - \cos x) - \sin x \right.$$
$$\left. - \frac{1}{2}\left(\cos^2 x - \frac{1}{3}\cos^3 x\right) \right] \tag{B-7}$$

2) $x = \dfrac{\pi}{2} \sim \pi$:

$$M_x = W_f R^2 \left[0.766 + 0.106(1 - \cos x) - \sin x \right.$$
$$\left. - \frac{1}{2}\left(\cos^2 x + \frac{1}{3}\cos^3 x\right) - \frac{1}{2}(1 - \sin x)^2 \right] \tag{B-8}$$

式中 x——管底部荷载支承的角度;

M_x——在任意角度 x 的位置处管壁上产生的弯矩。

（2）附图 B-5b 的情况:

1) $x = 0 \sim \dfrac{\pi}{6}$:

$$M_x = W_f R^2 \left[0.556 + 0.0795(1 - \cos x) \right.$$
$$\left. - \sin^2 x - \frac{1}{2}\left(\cos^2 x - \frac{1}{3}\cos^3 x\right) \right] \tag{B-9}$$

2) $x = \dfrac{\pi}{6} \sim \dfrac{\pi}{2}$:

$$M_x = W_f R^2 \left[0.806 + 0.0795(1 - \cos x) \right.$$
$$\left. - \sin x - \frac{1}{2}\left(\cos^2 x - \frac{1}{3}\cos^3 x\right) \right] \tag{B-10}$$

3) $x = \dfrac{\pi}{2} \sim \pi$:

$$M_x = W_f R^2 \left[0.306 + 0.0795(1 - \cos x) - \frac{1}{2}\sin^2 x \right.$$
$$\left. - \frac{1}{2}\left(\cos^2 x + \frac{1}{3}\cos^3 x\right) \right] \tag{B-11}$$

B2.3 计算值和实测值的比较

如附图 B-6 所示，计算值和实测值很吻合，由此可知，附图 B-4 所示的土压力分布图在实际中是适用的。

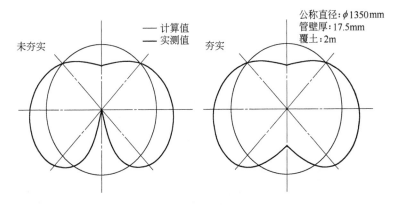

附图 B-6 未夯实及夯实情况下由回填土产生的弯矩曲线图

B3 铸管埋深较大时应力产生的情况

覆土深度不大时，附图 B-4 的土压力分布可以满足要求。如果覆土深度大时，情况就发生了变化。覆土深度大，管的变形也大，最初是线支承，逐渐支承角增大，应力的增加量相对减少。也就是说，条件向变好发展。以下用试验举例加以详述。

B3.1 $\phi1350$mm 球墨铸铁管的试验管线情况（附图 B-7）

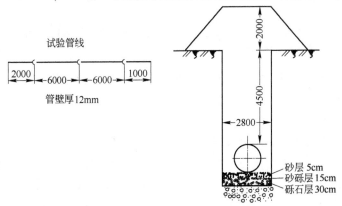

附图 B-7 深埋设时铸管应力试验管线情况

B3.2 埋设条件

为了使最初的状态形成线支承，令沟底形成为砂层、砂砾层、砾石层，沟底是坚固的。

B3.3 实测结果

管中央圆周方向产生的应力如附表 B-3 所示。

附表 B-3 覆土至 6.5m 的中央圆周应力 (10MPa)

位置 覆土/m	上	斜右上	右横	斜右下	下	斜左下	左横	斜左下
0.5	−0.2	0.7	−1.8	−2.9	5.2	−2.4	0.3	0.2
1	1.8	1.4	−1.9	−5.5	11.6	−5.3	−0.7	1.7
1.5	1.5	1.3	−3.2	−6.4	13.5	−6.4	−1.1	2.3
2	2.7	1.4	−5.4	−6.4	15.8	−7.7	−1.5	2.3
2.5	3.6	1.5	−6.3	−6.4	16.9	−8.2	−1.9	2.3
3	4.9	1.2	−7.2	−6.5	19.0	−7.7	−2.9	1.7
3.5	5.0	1.5	−7.9	−6.3	19.1	−9.1	−2.7	2.5
4	5.8	1.6	−8.5	−6.3	20.0	−9.5	−3.2	2.5
4.5	6.7	0.9	−9.7	−6.5	21.5	−10.2	−3.9	2.5
6.5	8.9	1.1	−12.8	−7.4	25.7	−11.6	−5.0	2.1

注：1. ϕ1350mm，$t=12$mm。

2. 表中无符号者表示内面是拉应力，外面是压应力；负号者表示内面是压应力，外面是拉应力。

从表中可以明显地看出，最大应力产生在管底部。以此最大应力为对象，研究支承角的变化。

B3.4 支承角的变化

用公式计算支承角为 0°、60°、90° 情况下管底处的最大应力，并与实测值比较，如附图 B-8 所示。其中，土压力的计算用的是杨森公式。从图中可以明显地看出，随着覆土厚度的增大，支承角也增大。当覆土厚度在 1m 以下时，支承角几乎为 0°，而覆土厚度为 4m 时，支承角已经超过了 60°。

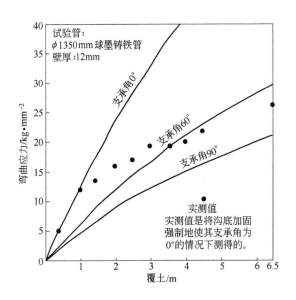

附图 B-8 覆土厚度引起的支承角变化

B3.5 在管外覆土产生土压力，管内同时有水压作用情况下的应力状况

铸管埋在地下，假设由于土压力作用使其垂直径减少 δ，此时水平径也近似地增加 δ，所以水平径和垂直径之差即为 2δ。在此如果有水压 p 作用，那么就有 $2\delta p$ 的力使管子恢复为正圆形的方向作用。水压为 0 时，管和土压力处于平衡状态；当作用 $2\delta p$ 时，管子一定趋于恢复原状。如果将这些具体地考虑为应力，由于加上水压，随此压力而产生环向压力，而由土压力所产生的弯曲应力则由于复原而减少。以下是试验例。

在 $\phi1350$mm 球墨铸铁管内通上水压，再进行检测试验。

由内外压产生的应力如附表 B-4 所示，加水压产生的弯曲应力的变化如附表 B-5 所示。附表 B-6 内的数值是将弯曲应力和水压产生拉应力加算在一起的值。从这个数值减去水压引起的拉应力（可由计算求出），就只是弯曲应力。这种情况即以弯曲拉应力为研究对象。

附表 B-4　内压外压同时作用时管中央的底部产生的圆周方向应力

水压/MPa 覆土/m	位置 0 内面	外面	0.5 内面	外面	1.0 内面	外面	1.5 内面	外面	2.0 内面	外面	2.5 内面	外面
0.5	3.9	-6.4	7.2	-1.7	8.1	1.7	10.5	5.7	13.0	10.0		
1	11.3	-11.8	11.9	-6.7	13.0	-1.4	14.7	3.5				
1.5	13.6	-15.3	14.9	-9.9	15.5	-4.3	16.3	0.7				
2	15.2	-16.4	16.3	-10.4	18.2	-5.7	18.9	-0.5	20.5	4.4		
2.5	16.4	-17.3	18.9	-12.9	20.1	-7.3	20.9	-1.5	22.5	3.2		
3	17.9	-20.0	20.0	-15.3	21.2	-9.6			23.8	1.1		
3.5	19.1	-19.1	21.4	-14.4	23.0	-9.2	24.3	-3.6	25.5	1.7		
4	20.5	-19.4			24.1	-9.5			26.8	1.3		
4.5	21.8	-21.1	24.2	-16.1	25.7	-10.9	27.0	-5.6	28.2	0.1		
6.5	26.0	-25.3	27.3	-20.7	29.3	-15.0	30.4	-8.2	31.6	-1.8	34.6	6.3

注：$\phi 1350\text{mm}$，$t=12\text{mm}$。

附表 B-5　覆土产生的弯矩与水压的关系　　　　（10MPa）

水压/MPa 覆土/m	0	0.5	1	1.5	2
0.5	3.9	4.4	2.5	2.1	17
1	11.3	9.1	7.4	6.3	
1.5	13.6	12.1	9.9	7.9	
2	15.2	13.5	12.6	10.5	9.2
2.5	16.4	16.1	14.5	12.5	11.2
3	17.9	17.2	15.6		12.5
3.5	19.1	13.6	17.4	15.9	14.2
4	20.5		18.5		15.5

水压/MPa 覆土/m	0	0.5	1	1.5	2
4.5	21.8	21.4	20.1	18.6	16.9
6.5	26	24.1	23.7	22	20.3

注：$\phi 1350\mathrm{mm}$，$t = 12\mathrm{mm}$。

从附表 B-5 可以明显地看出，弯曲应力随着水压的增加而减少。

附表 B-5 所示的数值是弯曲应力，将其乘以 0.7 换算成拉应力，再加上水压产生的拉应力后便得附表 B-6。

附表 **B-6**　土压力与水压力产生的拉应力　　（10MPa）

水压/MPa 覆土/m	0	0.5	1	1.5	2
0.5	2.7	5.9	7.4	9.9	12.5
1	7.9	9.2	10.8	12.8	
1.5	9.5	11.3	12.5	13.9	
2	10.6	12.3	14.4	15.8	17.7
2.5	11.6	14.1	15.8	17.2	19.1
3	12.5	14.8	16.5	—	20.1
3.5	13.3	15.8	17.8	19.5	21.1
4	14.4	—	18.6	—	22.2
4.5	25.3	17.8	19.7	21.4	23.1
6.5	18.2	20	22.2	23.8	25.5

注：$\phi 1350\mathrm{mm}$，$t = 12\mathrm{mm}$。

B3.6　计算值和实测值的比较

支承角为 0° 和 60° 时的计算值与实测值比较如附图 B-9 所

示。试验是将沟底做得坚固并且强制地使支承角成为 0° 的状态下进行。支承角开始时几乎为 0°，然后逐渐增加，最后达到 60°以上时，与水压使弯曲应力的减少相组合，得到了比计算值还低的结果。也就是说，沟地如果坚固，回填时管侧即使不夯实，考虑支承角为 60° 即可。

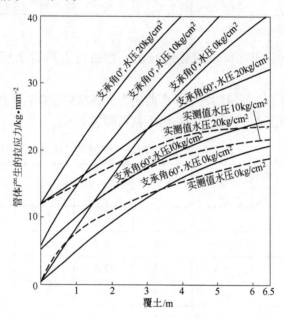

附图 B-9　土压力和水压同时作用时的计算与实测拉应力
（$\psi 1350\text{mm}$，$t = 12\text{mm}$）

B4　由车辆荷载产生的应力

以前，对于车辆荷载产生的应力，只用不同的土压力来考虑，土压力的分布认为和覆土的情况相同来计算。从试验来看，以前的考虑是不妥的，对此叙述如下。

B4.1　试验结果

由于汽车通过产生的应力，因汽车位置的不同其数值不同。随情况不同甚至拉应力相反。附表 B-7 为不考虑汽车的位置，在汽车通过时在铸管不同部位所产生的最大弯曲应力。

附表 B-7　汽车通过在管中央产生的应力

位　置　　　条　件	平底沟，不夯实，覆土2m；汽车重18.5t；公称直径1350mm；管壁厚17.5mm	平底沟，不夯实，覆土2m；汽车重17t；公称直径1350mm；管壁厚17.5mm
上	0.35	0.32
斜上	0.18	0.19
横	0.3	0.28
斜下	0.06	0.04
下	0.05	0.03

从附表 B-7 可以看出以下几点：

（1）汽车通过所产生的应力很小（覆土产生的应力最大为140MPa）。

（2）最大应力产生于管顶部。覆土引起的应力则产生于管底部。因此，覆土产生的应力与汽车荷载产生的应力即使同时作用，最大应力也几乎没有增加。

（3）夯实与不夯实没有区别。而覆土产生的最大应力为140MPa 和 71MPa，相差约 1 倍。

B4.2　计算式

铸管安装好回填时，不论回填方法如何，是成线支承或60°支承的状态。填土完了后我们可以假设，在汽车可以通过的情况下，管周围的土壤是稳定，构成充分约束的状态。这样的考虑经过种种研究的结果可知，用下述的土压力分布和计算公式与实际情况是很一致的。

附图 B-10 所示为土压力分布图。根据这种土压力分布图，从理论上进行弯矩公式的推导如下式：

$$M_x = W_1 R^2 \{0.011 + 1.127(1 - \cos x)$$

$$+ 0.82\left[0.167(1 - \cos x)^3 - (1 - \cos x)^2\right] - 0.5\sin^2 x\}$$

$$(B\text{-}12)$$

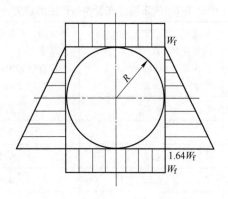

附图 B-10　汽车通过时的土压分布

但这个计算公式是指汽车车轮位于管的正上方的情况。

B4.3　计算值和实测值的比较

汽车通过时必须考虑相位，因此不能将计算值和实测值直接进行比较。附表 B-8 为汽车的后轮位于管子的正上部时的实测值和计算值比较的结果。从附表 B-8 可知，上面推导的计算公式在实际中是适用的。

附表 B-8　由于汽车通过在管中央产生的实测和计算弯矩　（N・m）

位　置	实测值	计算值
上	39.3	36.6
斜上	−13.2	−11.6
横	−18	−20.8
斜下	14	11.1
下	2.7	5.1

注：条件和附表 B-7 的左栏相同。

B4.4　汽车通过产生的冲击影响

汽车通过时必须要考虑由于冲击产生的重量增加。一般都是单纯地增加 30% 或 50%，实际上覆土厚度是有影响的。覆土 0.5m 时为 50%，1.5m 时即为 0，在实用上估算 50% 的重量增加可以认为是足够的。

附表 B-9 为一个例子。

附表 B-9　各种覆土厚度时汽车通过产生的冲击影响实测和计算应力　　　　　（MPa）

位置	覆土 ±0.5mm			覆土 ±0.5mm			覆土 ±0.5mm		
	实测值	计算值		实测值	计算值		实测值	计算值	
		冲击系数	冲击系数		冲击系数	冲击系数		冲击系数	冲击系数
上	6.59	4.57	6.78	1.67	1.32	1.97	0.73	0.95	1.42
斜上	1.99	1.49	2.23	1.51	0.48	0.65	0.07	0.31	0.47
横	2.06	2.68	4.01	1.27	0.78	1.17	0.62	0.59	0.85
斜下	0.67	1.43	2.13	0.38	0.42	0.62	0.01	0.30	0.45
下	1.96	0.65	0.98	0.89	0.19	0.29	0.46	0.14	0.21

注：1. 实验管：$\phi700mm$ 球墨铸铁管，壁厚 10mm。

　　2. 平底沟，未夯实。

　　3. 对于各种覆土厚度情况下通过的汽车一个后轮的重量：

　　　　覆土 0.5m 时，8.95kg；覆土 1m 时，7.44kg；覆土 1.5m，6.68kg。

B4.5　管的挠度

如果能判明作用在管体上的土压是什么样的形状分布，则从理论上可以求出管的挠度；反之，如已知挠度，就可以推算出土压分布的情况。关于这个问题，以下结合与实验的对比加以说明。

B4.5.1　回填土引起的挠度

B4.5.1.1　计算公式

$$\delta_v = K \frac{W_f R^4}{EI} \tag{B-13}$$

式中　δ_v——垂直挠度；

　　　W_f——土压；

　　　R——铸管半径；

　　　E——弹性模量；

I——惯性矩，$I = \dfrac{t^3}{12}$；

K——由支承角 2θ 确定的系数，按附表 B-10 取值。

附表 **B-10**　用于挠度计算的系数 K

支承角 2θ	0°	40°	60°	90°	120°	180°
系数 K	0.122	0.111	0.1	0.084	0.07	0.058

B4.5.1.2　计算值与实测值的对比

$\phi 1350mm$ 铸管埋深 2m 状态下的实测值与计算值如附表 B-11 所示。

从此表可以说明计算公式的可靠性。

附表 **B-11**　实测挠度与计算挠度

管直径及壁厚/mm	土质	基础	覆土/m	夯实	实测值/mm	计算值/mm	
						支承角 0°	支承角 60°
$\phi 1350$	粉砂土	平底沟	2	无	14.93	14.7	11.3
$t17.5$				有	11.17		

B4.5.1.3　实际管道上土压分布的推算

从东京的 $\phi 1600mm$ 管道、名古屋的 $\phi 1800mm$ 管道等的实测结果进行推算如附表 B-12 所示。

附表 **B-12**　从实测挠度推算支承角

管直径及壁厚/mm	土质	基础	覆土/m	夯实	水泥砂浆内衬/mm	实测值/mm	计算值/mm				
							支承角 0°	支承角 60°	支承角 90°	支承角 120°	支承角 180°
1600, 25	关东亚黏土		2.2	无	15	3.02	6.49	5.33	4.47	3.73	3.08
			3.2	无	15	3.66	8.36	6.86	5.78	4.82	3.97
			3.4	无	15	4.82	8.74	7.18	6.03	5.03	4.15
	粉砂	平底沟	2.1	无	15	4.59	6.26	5.14	4.31	3.6	2.9
1800, 22.5	黏土	平底沟	2.5	无	12	10.4	17.7	15.5		10.2	8.4
	粉砂	平底沟	2	无	12	14.86	26.1	21.4		15	8.4

管直径及壁厚/mm	土质	基础	覆土/m	夯实	水泥砂浆内衬/mm	实测值/mm	计算值/mm				
							支承角0°	支承角60°	支承角90°	支承角120°	支承角180°
1650,22.5	粉砂	平底沟，至管顶用砂土	2.1	无	12	5.25	10.4	8.56	7.19	6	4.97
			3.2	无	12	9.05	15	12.3	10.3	8.58	7.11
2200,28	粉砂	平底沟管底夯实	2	无	15	10.5	18.3	15	12.6	10.5	8.71
			3.6	无	15	16.4	28.4	23.3	19.6	16.3	13.5

从附表 B-12 可以确定：

当沟底为 90° 的弧形时，支承角 $2\theta = 120° \sim 180°$；

平地沟的情况，$2\theta > 60°$；

平地沟夯实的情况，$2\theta \approx 120°$。

此外，可以认为在实际管道中，即使未夯实的平地沟，一般支承角也是 60° 左右。

B4.5.2 汽车荷载引起的挠度

汽车荷载引起的挠度和夯实与否无关，其土压分布如附图 B-9 所示，从这个土压分布求得的垂直方向挠度计算公式如下：

$$\delta_{v}' = 0.03 \frac{W_f R^4}{EI} \tag{B-14}$$

B4.5.3 水压负载引起的反挠度

在附表 B-5 中已说明了在有水压负载时应力产生的状况，用同样的试验来研究水压引起的挠度复原的程度（反挠度），如附图 B-11 所示。

B4.6 埋设在地下的球墨铸铁法兰圈的可靠性

将直径 1350mm、管壁厚度 15.2mm（比 3 类管的壁厚薄 1.3mm）的试验管用薄壁球墨铸铁法兰圈（壁厚 26mm，比标准的规定薄 7mm）进行结合，埋入地下，检查在外压、内压作用下法兰圈的状态，其结果如附图 B-12 所示。

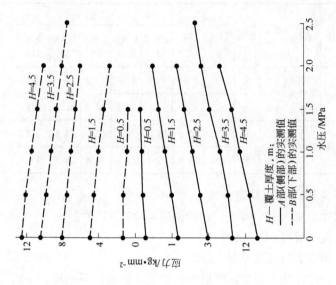

附图 B-12 埋入地下的薄壁法兰圈外周的应力I

H——覆土厚度，m；
——A部（侧部）的实测值；
-----B部（下部）的实测值

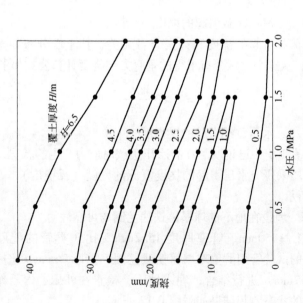

附图 B-11 不同覆土厚度水压引起的挠度复原（实测值）
（ϕ1350mm 球墨铸铁管，壁厚 12mm）

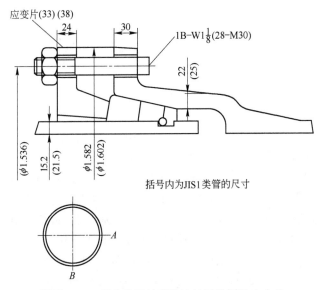

附图 B-12　埋入地下的薄壁法兰圈外周的应力 Ⅱ

从附图 B-12 可得下列结论：

（1）从一般的条件来考虑，在覆土深度相当深的 4.5m 下边。虽然管壁薄，而且法兰圈也薄，但产生的应力仍小。

（2）内压负荷越高，应力的减少越大，越偏于安全。

由上述两点可以说明，埋设在地下的接口用的法兰圈，在强度方面是充分安全的。

附录 C 输气管道的设计参考资料

C1 燃气输配系统[注]

C1.1 一般规定

(1) 本章适用于压力不大于 4.0MPa（表压）的城镇燃气（不包括液态燃气）室外输配工程的设计。

(2) 城镇燃气输配系统一般由门站、燃气管网、储气设施、调压设施、管理设施、监控系统等组成。城镇燃气输配系统设计,应符合城镇燃气总体规划,在可行性研究的基础上,做到远、近期结合,以近期为主,经技术经济比较后确定合理的方案。

(3) 城镇燃气输配系统压力级制的选择,门站、储配站、调压站、燃气干管的布置,应根据燃气供应来源、用户的用气量及其分布、地形地貌、管材设备供应条件、施工和运行等因素,经过多方案比较,择优选取技术经济合理、安全可靠的方案。

城镇燃气干管的布置,应根据用户用量及其分布,全面规划,宜按逐步形成环状管网供气进行设计。

(4) 采用天然气做气源时,平衡城镇燃气逐月、逐日的用气不均匀性,应由气源方（即供气方）统筹调度解决。

需气方对城镇燃气用户应做好用气量的预测,在各类用户全年的综合用气负荷资料的基础上,制定逐月、逐日用气量计划。

(5) 平衡城镇燃气逐小时的用气不均匀性,除应符合第(4)条要求外,城镇燃气输配系统尚应具有合理的调度供气措施,并应符合下列要求:

1) 城镇燃气输配系统的调度气总容量,应根据计算月平均日用气总量、气源的可调量大小、供气和用气不均匀情况和运行经验等因素综合确定。

---

❶ 详见 GB 50028—2003《城镇燃气设计规范》。

2）确定调度气总容量时，应充分利用气源的可调量（如主气源的可调节供气能力，调峰气源能力和输气干线的调峰能力等措施）。采用天然气做气源时，平衡小时的用气不均所需调度气量宜由供气方解决，不足时由城镇燃气输配系统解决。

3）储气方式的选择应因地制宜，经方案比较，择优选取技术经济合理、安全可靠的方案。对来气压力较高的天然气系统宜采用管道储气的方式。

（6）城镇燃气管道应按燃气设计压力 p 分为 7 级，并应符合附表 C-1 的要求。

附表 C-1 城镇燃气设计压力（表压）分级

名　　称		压力/MPa
高压燃气管道	A	$2.5 < p \leqslant 4.0$
	B	$1.6 < p \leqslant 2.5$
次高压燃气管道	A	$0.8 < p \leqslant 1.6$
	B	$0.4 < p \leqslant 0.8$
中压燃气管道	A	$0.2 < p \leqslant 0.4$
	B	$0.01 \leqslant p \leqslant 0.20$
低压燃气管道		$p < 0.01$

（7）燃气输配系统各种压力级制的燃气管道之间应通过调压装置相连。当有可能超过最大允许工作压力时，应设置防止管道超压的安全保护设备。

C1.2 燃气管道计算流量和水力计算

（1）城镇燃气管道的计算流量，应按计算月的小时最大用气量计算。该小时最大用气量应根据所有用户燃气用气量的变化叠加后确定。

独立居民小区和庭院燃气支管的计算流量宜按相关标准规定执行。

（2）居民生活和商业用户燃气小时计算流量（0℃和101.325kPa），宜按下式计算：

$$Q_{\text{h}} = \frac{1}{n}Q_{\text{a}} \tag{C-1}$$

式中　Q_{h}——燃气小时计算流量，m^3/h；

　　　Q_{a}——年燃气用量，m^3/a；

　　　n——年燃气最大负荷利用小时数，h；其值为：

$$n = \frac{365 \times 24}{K_{\text{m}}K_{\text{d}}K_{\text{h}}}$$

　　　K_{m}——月高峰系数。计算月的日平均用气量和年的日平均用气量之比；

　　　K_{d}——日高峰系数。计算月中的日最大用气量和该月日平均用气量之比；

　　　K_{h}——小时高峰系数。计算月中最大用气量日的小时最大用气量和该日小时平均用气量之比。

（3）居民生活和商业用户用气的高峰系数，应根据该城镇各类用户燃气用量（或燃料用量）的变化情况，编制成月、日、小时用气负荷资料，经分析研究确定。

工业企业和燃气汽车用户燃气小时计算流量，宜按每个独立用户生产的特点和燃气用量（或燃料用量）的变化情况，编制成月、日、小时用气负荷资料确定。

（4）采暖通风和空调所需燃气小时计算流量，可按国家现行标准 CJJ 34《城市热力网设计规范》有关热负荷规定并考虑燃气采暖通风和空调的热效率折算确定。

（5）低压燃气管道单位长度的摩擦阻力损失应按下式计算：

$$\frac{\Delta p}{l} = 6.26 \times 10^7 \lambda \frac{Q^2}{d^5} \rho \frac{T}{T_0} \tag{C-2}$$

式中　Δp——燃气管道摩擦阻力损失，Pa；

　　　λ——燃气管道摩擦阻力系数；

　　　l——燃气管道的计算长度，m；

　　　Q——燃气管道的计算流量，m^3/h；

　　　d——管道内径，mm；

ρ——燃气的密度，kg/m^3；

T——设计中所采用的燃气温度，K；

T_0——273.15K。

根据燃气在管道中不同的运动状态，其单位长度的摩擦阻力损失宜按下列各式计算：

1）层流状态（$Re < 2100$，$\lambda = 64/Re$）：

$$\frac{\Delta p}{l} = 1.13 \times 10^{10} \frac{Q}{d^4} \nu \rho \frac{T}{T_0} \tag{C-3}$$

2）临界状态$\left(Re = 2100 \sim 3500, \ \lambda = 0.03 + \dfrac{Re - 2100}{65Re - 10^5} \right)$：

$$\frac{\Delta p}{l} = 1.9 \times 10^6 \left(1 + \frac{11.8Q - 7 \times 10^4 d\nu}{23Q - 10^5 d\nu} \right) \frac{Q^2}{d^5} \rho \frac{T}{T_0} \tag{C-4}$$

3）湍流状态（$Re > 3500$）：

①钢管：

$$\lambda = 0.11 \left(\frac{K}{d} + \frac{68}{Re} \right)^{0.25}$$

$$\frac{\Delta p}{l} = 6.9 \times 10^6 \left(\frac{K}{d} + 192.2 \frac{d\nu}{Q} \right)^{0.25} \frac{Q^2}{d^5} \rho \frac{T}{T_0} \tag{C-5}$$

②铸铁管：

$$\lambda = 0.102236 \left(\frac{l}{d} + 5158 \frac{d\nu}{Q} \right)^{0.284}$$

$$\frac{\Delta p}{l} = 6.4 \times 10^6 \left(\frac{l}{d} + 5158 \frac{d\nu}{Q} \right)^{0.284} \frac{Q^2}{d^5} \rho \frac{T}{T_0} \tag{C-6}$$

式中　Re——雷诺数；

Δp——燃气管道摩擦阻力损失，Pa；

λ——燃气管道的摩擦阻力系数；

l——燃气管道的计算长度，m；

Q——燃气管道的计算流量，m^3/h；

d——管道内径，mm；

ρ——燃气的密度，kg/m^3；

T——设计中所采用的燃气温度，K；

T_0——273.15K；

ν——0℃和101.325kPa时燃气的运动黏度，m^2/s；

K——管壁内表面的当量绝对粗糙度，对钢管取$K = 0.2mm$。

（6）高压、次高压和中压燃气管道的单位长度摩擦阻力损失，应按下式计算：

$$\frac{p_1^2 - p_2^2}{L} = 1.27 \times 10^{10} \lambda \frac{Q^2}{d^5} \rho \frac{T}{T_0} Z \qquad \text{（C-7）}$$

式中　p_1——燃气管道起点的压力（绝压），kPa；

p_2——燃气管道终点的压力（绝压），kPa；

Z——压缩因子，当燃气压力小于1.2MPa（表压）时，Z取1；

L——燃气管道的计算长度，km；

λ——燃气管道摩擦阻力系数，宜按下式计算：

$$\frac{1}{\sqrt{\lambda}} = 2\lg\left(\frac{K}{3.7d} + \frac{2.51}{Re\sqrt{\lambda}}\right) \qquad \text{（C-8）}$$

式中　lg——常用对数；

K——管壁内表面的当量绝对粗糙度，mm；

Re——雷诺数（无量纲）。

当燃气管道的摩擦阻力系数采用手算时，根据燃气管道不同材质，其单位长度摩擦阻力损失可按下列各式计算：

1）钢管：

$$\lambda = 0.11\left(\frac{K}{d} + \frac{68}{Re}\right)^{0.25}$$

$$\frac{p_1^2 - p_2^2}{L} = 1.4 \times 10^9 \left(\frac{K}{d} + 192.2\frac{d\nu}{Q}\right)^{0.25} \frac{Q^2}{d^5} \rho \frac{T}{T_0} \qquad \text{（C-9）}$$

2）铸铁管：

$$\lambda = 0.102236\left(\frac{l}{d} + 5158\,\frac{d\nu}{Q}\right)^{0.284}$$

$$\frac{p_1^2 - p_2^2}{L} = 1.3 \times 10^9 \left(\frac{l}{d} + 5158\,\frac{d\nu}{Q}\right)^{0.284} \frac{Q^2}{d^5}\,\rho\,\frac{T}{T_0} \quad (\text{C-10})$$

式中 λ——燃气管道的摩擦阻力系数;

L——燃气管道的计算长度,km;

Q——燃气管道的计算流量,m^3/h;

d——管道内径,mm;

ρ——燃气的密度,kg/m^3;

ν——0℃和101.325kPa时燃气的运动黏度,m^2/s;

K——管壁内表面的当量绝对粗糙度,对钢管取 $K = 0.2mm$。

(7)室外燃气管道的局部阻力损失可按燃气管道摩擦阻力损失的5%~10%进行计算。

(8)城镇燃气低压管道从调压站到最远燃具的管道允许阻力损失,可按下式计算:

$$\Delta p_d = 0.75 p_n + 150 \quad (\text{C-11})$$

式中 Δp_d——从调压站到最远燃具的管道允许阻力损失,Pa;

p_n——低压燃具的额定压力,Pa。

注:Δp_d 含室内燃气管道允许阻力损失,室内燃气管道允许阻力损失应按相关标准规定执行。

C1.3 压力不大于1.6MPa的室外燃气管道

(1)中压和低压燃气管道宜采用聚乙烯管、机械接口球墨铸铁管、钢管或钢骨架聚乙烯塑料复合管,并应符合下列要求:

1)聚乙烯燃气管应符合现行国家标准 GB 15558.1《燃气用埋地聚乙烯管材》和 GB 15558.2《燃气用埋地聚乙烯管件》的规定;

2)机械接口球墨铸铁管应符合现行国家标准 GB/T 13295《水及燃气管道用球墨铸铁管、管件和附件》的规定;

3)钢管采用焊接钢管、镀锌钢管或无缝钢管时,应分别符合现行的国家标准 GB/T 3091《低压流体输送用焊接钢管》、GB/T 8163《输送流体用无缝钢管》的规定;

4）钢骨架聚乙烯塑料复合管应符合国家现行标准 CJ/T 125《燃气用钢骨架聚乙烯塑料复合管》和 CJ/T 126《燃气用钢骨架聚乙烯塑料复合管件》的规定。

（2）次高压燃气管道应采用钢管，其管材和附件应符合相关规定的要求。次高压钢质燃气管道直管段计算壁厚应按相关规定计算确定。最小公称壁厚不应小于附表 C-2 的规定。

（3）地下燃气管道不得从建筑物和大型构筑物的下面穿越。

注：不包括架空的建筑物和大型构筑物（如立交桥等）。

附表 C-2　钢质燃气管道最小公称壁厚

钢管公称直径/mm	公称壁厚/mm
100～150	4.0
200～300	4.8
350～450	5.2
500～550	6.4
600～900	7.1
950～1000	8.7
1050	9.5

地下燃气管道与建筑物、构筑物或相邻管道之间的水平和垂直净距，不应小于附表 C-3 和附表 C-4 的规定。

附表 C-3　地下燃气管道与建筑物、构筑物或相邻
管道之间的水平净距　　　　（m）

项　　目		地下燃气管道				
		低压	中压		次高压	
			B	A	B	A
建筑物的	基　础	0.7	1.0	1.5		
	外墙面（出地面处）				4.5	6.5
给水管		0.5	0.5	0.5	1.0	1.5
污水、雨水排水管		1.0	1.2	1.2	1.5	2.0
电力电缆	直　埋	0.5	0.5	0.5	1.0	1.5
（含电车电缆）	在导管内	1.0	1.0	1.0	1.0	1.5

项　目		地下燃气管道				
		低压	中压		次高压	
			B	A	B	A
通信电缆	直　埋	0.5	0.5	0.5	1.0	1.5
	在导管内	1.0	1.0	1.0	1.0	1.5
其他燃气管道	DN≤300mm	0.4	0.4	0.4	0.4	0.4
	DN>300mm	0.5	0.5	0.5	0.5	0.5
热力管	直　埋	1.0	1.0	1.0	1.5	2.0
	在管沟内（至外壁）	1.0	1.5	1.5	2.0	4.0
电杆（塔）的基础	≤35kV	1.0	1.0	1.0	1.0	1.0
	>35kV	2.0	2.0	2.0	5.0	5.0
通讯照明电杆（至电杆中心）		1.0	1.0	1.0	1.0	1.0
铁路路堤坡脚		5.0	5.0	5.0	5.0	5.0
有轨电车钢轨		2.0	2.0	2.0	2.0	2.0
街树（至树中心）		0.75	0.75	0.75	1.20	1.20

附表 C-4　地下燃气管道与构筑物或相邻管道之间垂直净距（m）

项　目		地下燃气管道（当有套管时，以套管计）
给水管、排水管或其他燃气管道		0.15
热力管的管沟底（或顶）		0.15
电　缆	直　埋	0.50
	在导管内	0.15
铁路轨底		1.20
有轨电车轨底		1.00

注：1. 如受地形限制无法满足附表 C-3 和附表 C-4 时，经与有关部门协商，采取行之有效的防护措施后，附表 C-3 和附表 C-4 规定的净距，均可适当缩小，但次高压燃气管道距建筑物外墙面不应小于 3.0m，中压管道距建筑物基础不应小于 0.5m 且距建筑物外墙面不应小于 1.0m，低压管道应不影响建（构）筑物和相邻管道基础的稳固性。且次高压 A 燃气管道距建筑物外墙面 6.5m 时，管道壁厚不应小于 9.5mm；管壁厚度不小于 11.9mm 或小于 9.5mm 时，距外墙面分别不应小于地下燃气管道压力为 1.61MPa 的有关规定。

2. 附表 C-3 和附表 C-4 规定除地下燃气管道与热力管的净距不适于聚乙烯燃气管道和钢骨架聚乙烯塑料复合管外，其他规定也均适用于聚乙烯燃气管道和钢骨架聚乙烯塑料复合管道。聚乙烯燃气管道与热力管道的净距应按国家现行标准 CJJ 63《聚乙烯燃气管道工程技术规程》执行。

（4）地下燃气管道埋设的最小覆土厚度（路面至管顶）应符合下列要求：

1）埋设在车行道下时，不得小于0.9m；

2）埋设在非车行道（含人行道）下时，不得小于0.6m；

3）埋设在庭院（指绿化地及载货汽车不能进入之地）内时，不得小于0.3m；

4）埋设在水田下时，不得小于0.8m。

注：当采取行之有效的防护措施后，上述规定均可适当降低。

（5）输送湿燃气的燃气管道，应埋设在土壤冰冻线以下。

燃气管道坡向凝水缸的坡度不宜小于0.003。

（6）地下燃气管道的地基宜为原土层。凡可能引起管道不均匀沉降的地段，其地基应进行处理。

（7）地下燃气管道不得在堆积易燃、易爆材料和具有腐蚀性液体的场地下面穿越，并不宜与其他管道或电缆同沟敷设。当需要同沟敷设时，必须采取防护措施。

（8）地下燃气管道穿过排水管、热力管沟、联合地沟、隧道及其他各种用途沟槽时，应将燃气管道敷设于套管内。套管伸出构筑物外壁不应小于附表C-3中燃气管道与该构筑物的水平净距。套管两端应采用柔性的防腐、防水材料密封。

（9）燃气管道穿越铁路、高速公路、电车轨道和城镇主要干道时应符合下列要求：

1）穿越铁路和高速公路的燃气管道，其外应加套管；

2）穿越铁路的燃气管道的套管，应符合下列要求：

①套管埋设的深度：铁路轨底至套管顶不应小于1.20m，并应符合铁路管理部门的要求；

②套管宜采用钢管或钢筋混凝土管；

③套管内径应比燃气管道外径大100mm以上；

④套管两端与燃气管的间隙应采用柔性的防腐、防水材料密封，其一端应装设检漏管；

⑤套管端部距路堤坡脚外距离不应小于 2.0m。

3）燃气管道穿越电车轨道和城镇主要干道时宜敷设在套管或地沟内；穿越高速公路的燃气管道的套管、穿越电车轨道和城镇主要干道的燃气管道的套管或地沟，并应符合下列要求：

①套管内径应比燃气管道外径大 100mm 以上，套管或地沟两端应密封，在重要地段的套管或地沟端部宜安装检漏管；

②套管端部距电车道边轨不应小于 2.0m；距道路边缘不应小于 1.0m。

4）燃气管道宜垂直穿越铁路、高速公路、电车轨道和城镇主要干道。

（10）燃气管道通过河流时，可采用穿越河底或采用管桥跨越的形式。当条件许可也可利用道路桥梁跨越河流，并应符合下列要求：

1）利用道路桥梁跨越河流的燃气管道，其管道的输送压力不应大于 0.4MPa。

2）当燃气管道随桥梁敷设或采用管桥跨越河流时，必须采取安全防护措施。

3）燃气管道随桥梁敷设，宜采取如下安全防护措施：

①敷设于桥梁上的燃气管道应采用加厚的无缝钢管或焊接钢管，尽量减少焊缝，对焊缝进行 100% 无损探伤；

②跨越通航河流的燃气管道管底标高，应符合通航净空的要求，管架外侧应设置护桩；

③在确定管道位置时，应与随桥敷设的其他可燃的管道保持一定间距；

④管道应设置必要的补偿和减震措施；

⑤过河架空的燃气管道向下弯曲时，向下弯曲部分与水平管夹角宜采用 45° 形式；

⑥对管道应做较高等级的防腐保护；

对于采用阴极保护的埋地钢管与随桥管道之间应设置绝缘装置。

（11）燃气管道穿越河底时，应符合下列要求：

1）燃气管道宜采用钢管；

2）燃气管道至规划河底的覆土厚度，应根据水流冲刷条件确定，对不通航河流不应小于0.5mm；对通航的河流不应小于1.0m，还应考虑疏浚和投锚深度；

3）稳管措施应根据计算确定；

4）在埋设燃气管道位置的河流两岸上、下游应设立标志；

5）燃气管道对接安装引起的误差不得大于3°，否则应设置弯管，次高压燃气管道的弯管应考虑盲板力。

（12）跨越河流的燃气管道的支座（架）应采用非燃烧材料。

（13）穿越或跨越重要河流的燃气管道，在河流两岸均应设置阀门。

（14）在次高压、中压燃气干管上，应设置分段阀门，并在阀门两侧设置放散管。在燃气支管的起点处，应设置阀门。

（15）地下燃气管道上的检测管、凝水缸的排水管、水封阀和阀门，均应设置护罩或护井。

（16）室外架空的燃气管道，可沿建筑物外墙或支柱敷设。并应符合下列要求：

1）中压和低压燃气管道，可沿建筑耐火等级不低于二级的住宅或公共建筑的外墙敷设；次高压B、中压和低压燃气管道，可沿建筑耐火等级不低于二级的丁、戊类生产厂房的外墙敷设。

2）沿建筑物外墙的燃气管道距住宅或公共建筑物门、窗洞口的净距：中压管道不应小于0.5m，低压管道不应小于0.3m。燃气管道距生产厂房建筑物门、窗洞口的净距不限。

3）架空燃气管道与铁路、道路、其他管线交叉时的垂直净距不应小于附表 C-5 的规定。

附表 C-5　架空燃气管道与铁路、道路、其他
管线交叉时的垂直净距

建筑物和管线名称		最小垂直净距/m	
		燃气管道下	燃气管道上
铁路轨顶		6.00	
城市道路路面		5.50	
厂区道路路面		5.00	
人行道路路面		2.20	
架空电力线，电压	3kV 以下		1.50
	3～10kV		3.00
	35～66kV		4.00
其他管道，管径	≤300mm	同管道直径，但不小于0.10	同管道直径，但不小于0.10
	>300mm	0.30	0.30

注：1. 厂区内部的燃气管道，在保证安全的情况下，管底至道路路面的垂直净距可取 4.5m；管底至铁路轨顶的垂直净距，可取 5.5m。在车辆和人行道以外的地区，可在从地面到管底高度不小于 0.35m 的低支柱上敷设燃气管道。

2. 电气机车铁路除外。

3. 架空电力线与燃气管道的交叉垂直净距尚应考虑导线的最大垂度。

4）输送湿燃气的管道应采取排水措施，在寒冷地区还应采取保温措施。燃气管道坡向凝水缸的坡度不宜小于 0.002。

5）工业企业内燃气管道沿支柱敷设时，尚应符合现行国家标准 GB 6222《工业企业煤气安全规程》的规定。

C2　液化石油气供应

C2.1　一般规定

（1）本节适用于液化石油气供应工程设计：

1）液化石油气运输工程；

2）液化石油气储存站、储配站和灌瓶站；

3）液化石油气气化站、混气站和瓶装供应站；

4）液化石油气用户。

（2）本节不适用于下列液化石油气工程和装置设计：

1）炼油厂、石油化工厂、油气田、天然气气体处理装置的液化石油气加工、储存、灌装和运输工程；

2）液化石油气低温常压储存、灌装和运输工程；

3）海洋和内河的液化石油气运输；

4）用于轮船、铁路车辆和汽车上的液化石油气装置。

C2.2 液态液化石油气运输

（1）液态液化石油气由生产厂或供应基地至接收站可采用管道、铁路槽车、汽车槽车或槽船运输。运输方式的选择应经技术经济比较后确定。条件接近时，应优先采用管道输送。

（2）液态液化石油气管道应按设计压力 p 分为 3 级，并应符合附表 C-6 的要求。

附表 C-6　液态液化石油气管道设计压力（表压）分级

名　称	I	II	III
压力/MPa	$p > 4.0$	$1.6 \leqslant p \leqslant 4.0$	$p < 1.6$

（3）输送液态液化石油气管道的设计压力应按管道系统起点的最高工作压力确定，可按下式计算：

$$p = H + p_b \qquad (C-12)$$

式中　p——管道设计压力，MPa；

H——所需泵的扬程，MPa；

p_b——始端贮罐最高工作温度下的液化石油气饱和蒸气压力，MPa。

（4）液态液化石油气采用管道输送时，泵的扬程应大于按式 C-13 的计算值。

$$H_j = \mathrm{D}p_z + p_y + \mathrm{D}H \qquad (C\text{-}13)$$

式中 H_j——泵的计算扬程，MPa；

$\mathrm{D}p_z$——管道总阻力损失，可取 1.05~1.10 倍管道摩擦阻力损失，MPa；

p_y——管道终点余压，可取 $p_y = 0.2 \sim 0.3\mathrm{MPa}$；

$\mathrm{D}H$——管道终、起点高程引起的附加压力，MPa。

（5）液态液化石油气管道摩擦阻力损失，应按下式计算：

$$\Delta p = 10^{-6} \lambda \frac{lu^2 \rho}{2d} \qquad (C\text{-}14)$$

式中 Δp——管道摩擦阻力损失，MPa；

l——管道计算长度，m；

u——管道中液态液化石油气的平均流速，m/s；

d——管道内径，m；

ρ——最高工作温度下液态液化石油气的密度，kg/m³；

λ——管道的摩擦阻力系数。

其中：

$$\lambda = 0.11 \left(\frac{K}{d} + \frac{68}{Re} \right)^{0.25} \qquad (C\text{-}15)$$

式中 K——管壁内表面当量绝对粗糙度，对钢管取 $K = 0.2\mathrm{mm}$；

Re——雷诺数。

其中：

$$Re = \frac{du}{\nu} \qquad (C\text{-}16)$$

式中 ν——最高工作温度下液态液化石油气的运动黏度，m²/s。

（6）液态液化石油气在管道内的平均流速，应经技术经济比较后确定，可取 0.8~1.4m/s，最大不应超过 3m/s。

（7）液态液化石油气输送管线不得穿越居住区和公共建筑

群。

（8）液态液化石油气管道宜采用埋地敷设，其埋设深度应在土壤冰冻线以下，且覆土厚度（路面至管顶）不应小于0.8m。

（9）地下液态液化石油气管道与建、构筑物和相邻管道等之间的水平净距和垂直净距不应小于附表C-7和附表C-8的规定。

附表 C-7　地下液态液化石油气管道与建、构筑物
和相邻管道等之间的水平净距　　　　（m）

项　　目		管道级别		
		Ⅰ　级	Ⅱ　级	Ⅲ　级
特殊建、构筑物（危险品库、军事设施等）		200		
居民区、村镇、重要公共建筑		75	50	30
一般建、构筑物		25	15	10
给水管		2	2	2
排水管		2	2	2
暖气管、热力管等管沟外壁		2	2	2
埋地电缆	电　力	10	10	10
	通　讯	2	2	2
其他燃料管道		2	2	2
公路路边	高速、Ⅰ、Ⅱ级	10	10	10
	Ⅲ、Ⅳ级	5	5	5
国家铁路（中心线）	干　线	25	25	25
	支　线	10	10	10
架　空	电力线（中心线）	1倍杆高，且不小于10		
	通讯线（中心线）	2	2	2
树　木		2	2	2

附表 C-8 　地下液态液化石油气管道与构筑物

和相邻管道等之间的垂直净距 　　　　　　　　（m）

项 目	垂直净距	项 目	垂直净距
给水管、排水管	0.20	其他燃料管道	0.20
暖气管、热力管（管沟）	0.20	铁路（轨底）	1.20
直埋电缆	0.50	公路（路面）	0.80
铠装电缆	0.20		

（10）输送液态液化石油气的管道,在下列地点应设置阀门：

1）起点、终点和分支点；

2）穿越国家铁路线、高速公路、Ⅰ、Ⅱ级公路和大型河流两侧；

3）管道沿线每隔 500m 左右处。

（11）地上液态液化石油气管道两阀门之间的管段上应设置管道安全阀。地下管道分段阀门之间应设置放散阀,其放散管管口距地面不应小于 2m。

（12）地下液态液化石油气管道的防腐应符合本规范第 5 章的有关规定。

（13）液化石油气铁路槽车和汽车槽车应符合现行的标准 HG 5-1472《液化气体铁路槽车技术条件》和 HG 5-1471《液化石油气汽车槽车技术条件》的规定。

C3　燃气的应用

C3.1　一般规定

（1）本节适用于城镇居民住宅、公共建筑和工业企业内部的燃气系统设计。

（2）调压、计量、燃烧等设备,应根据使用的燃气类别及其特性、安装条件和用户要求等因素选择。

C3.2　室内燃气管道

（1）用户室内燃气管道的最高压力不应大于附表 C-9 的规定。

燃　气　用　户	最高压力
工业用户及单独的锅炉房	0.4
公共建筑和居民用户（中压进户）	0.2
公共建筑和居民用户（低压进户）	0.005

（2）燃气供应压力应根据用气设备燃烧器的额定压力及其允许的压力波动范围确定。用气设备的燃烧器的额定压力可按附表 C-10 采用。

附表 C-10　用气设备的燃烧器的额定压力　（表压，MPa）

燃气 燃烧器	人工煤气	天　然　气		液化石油气
		矿井气、液化混空气	天然气、油田伴生气	
低　压	1.0	1.0	2.0	2.8 或 5.0
中　压	10 或 30	10 或 31	20 或 50	30 或 100

（3）在城镇供气管道上严禁直接安装加压设备。

（4）当供气压力不能满足用气设备要求而需要加压时，必须符合下列要求：

1）加压设备前必须设浮动式缓冲罐。缓冲罐的容量应保证加压时不影响地区管网的压力工况。

2）缓冲罐前应设管网低压保护装置。

3）缓冲罐应设贮量下限位与加压设备连锁的自动切断阀。

4）加压设备应设旁通阀和出口止回阀。

（5）室内中、低压燃气管道应采用镀锌钢管。中压燃气管道宜采用焊接或法兰连接。

（6）室内燃气管道的计算流量应按下式计算：

$$Q_h = k_t(\Sigma k N Q_n) \tag{C-17}$$

式中　Q_h——燃气管道的计算流量，m^3/h；

　　　　k_t——不同类型用户的同时工作系数，当缺乏资料时，可取 $k_t = 1$；

k——燃具同时工作系数，居民生活用燃具可按相关标准确定，公共建筑和工业用燃具可按加热工艺要求确定；

N——同一类型燃具的数目；

Q_n——燃具的额定流量，m^3/h。

（7）室内燃气管道的阻力损失，可按 C1.2(4)条、C1.2(5)和 C1.2(6)条的规定计算。

（8）计算低压燃气管道阻力损失时，应考虑因高程差而引起的燃气附加压力。燃气的附加压力可按下式计算：

$$DH = 10(\rho_k - \rho_m)h \qquad (C\text{-}18)$$

式中　DH——燃气的附加压力，Pa；

ρ_k——空气的密度，kg/m^3；

ρ_m——燃气的密度，kg/m^3；

h——燃气管道终点、起点的高程差，m。

（9）当由调压站供应低压燃气时，室内低压燃气管道允许的阻力损失，不应大于附表 C-11 的规定。

附表 C-11　低压燃气管道允许的阻力损失

燃 气 种 类	从建筑物引入管至管道末端阻力损失/Pa	
	单层建筑	多层建筑
人工煤气、矿井气、液化石油气混空气	150	250
天然气、油田伴生气	250	350
液化石油气	350	600

注：1. 阻力损失包括燃气计量装置的损失。

　　2. 当由楼幢调压箱供应低压燃气时，室内低压燃气管道允许的阻力损失，也可按附录第 C1.2（7）条计算确定。

（10）燃气引入管不得敷设在卧室、浴室、地下室、易燃易爆品的仓库、有腐蚀性介质的房间、配电室、变电室、电缆沟、烟道和进风道等地方。

燃气引入管应设在厨房或走廊等便于检修的非居住房间内。当确有困难，可从楼梯间引入，此时引入管阀门宜设在室外。

1）燃气引入管进入密闭室时，密闭室必须进行改造，并设置换气口，其通风换气次数每小时不得小于3次。

2）输送湿燃气的引入管，埋设深度应在土壤冰冻线以下，并应有不低于0.01坡向凝水缸或燃气分配管道的坡度。

3）燃气引入管穿过建筑物基础、墙或管沟时，均应设置在套管中，并应考虑沉降的影响，必要时应采取补偿措施。

4）燃气引入管的最小公称直径，应符合下列要求：

①当输送人工煤气和矿井等燃气时，不应小于25mm；

②当输送天然气和液化石油气等燃气时，不应小于15mm。

5）燃气引入管阀门的设置，应符合下列要求：

①阀门宜设置在室内，对重要用户尚应在室外别设置阀门。阀门应选择快速式切断阀；

②地上低压燃气引入管的直径小于或等于75mm时，可在室外设置带丝堵的三通，不另设置阀门。

6）建、构筑物内部的燃气管道应明设。当建筑或工艺有特殊要求时，可暗设，但必须便于安装和检修。

7）暗设燃气管道应符合下列要求：

①暗设的燃气立管，可设在墙上的管槽或管道井中，暗设的燃气水平管，可设在吊平顶内或管沟中。

②暗设的燃气管道的管槽应设活动门和通风孔；暗设的燃气管道的管沟应设活动盖板，并填充干沙。

③工业和实验室用的燃气管道可敷设在混凝土地面中，其燃气管道的引进和引出应设套管。套管应伸出地面5~10cm。套管两端应采用柔性的防水材料密封。

管道应有防腐绝缘层。

④暗设的燃气管道可与空气、惰性气体、上水、热力管道等一起敷设在管道井、管沟或设备层中。此时燃气道应采用焊接连接。

燃气管道不得敷设在可能渗入腐蚀性介质的管沟中。

⑤当敷设燃气管道的管沟与其他管沟相交时，管沟之间应密

封，燃气管道应敷设在钢套管中。

⑥敷设燃气管道的设备层和管道井应通风良好。每层的管道井应设在与楼板耐火极限相同的防火隔断层，并应有进出方便的检修门。

⑦燃气管道应涂以黄色的防腐识别漆。

8）室内燃气管道不得穿过易燃易爆品仓库、配电间、变电室、电缆沟、烟道和进风道等地方。

9）室内燃气管道不应敷设在潮湿或有腐蚀性介质的房间内。当必须敷设时，必须采取防腐蚀措施。

10）燃气管道严禁引入卧室。当燃气水平管道穿过卧室、浴室或地下室时，必须采用焊接连接的方式，并必须设置在套管中。燃气管道的立管不得敷设在卧室、浴室或厕所中。

11）当室内燃气管道穿过楼板、楼梯平台、墙壁和隔墙时，必须安装在套管中。

12）燃气管道敷设高度（从地面到管道底部）应符合下列要求：

①在有人行走的地方，敷设高度不应小于 2.2m；

②在有车通行的地方，敷设高度不应小于 4.5m。

13）沿墙、柱、楼板和加热设备构架上明设的燃气管道应采用支架、管卡或吊卡固定。燃气钢管的固定件间距不应大于附表 C-12 的规定。

附表 C-12　燃气钢管固定件的最大间距

管道公称直径 /mm	无保温层管道的固定件 的最大间距/m	管道公称直径 /mm	无保温层管道的固定件 的最大间距/m
15	2.5	100	7
20	3	125	8
25	3.5	150	10
32	4	200	12
40	4.5	250	14.5
50	5	300	16.5
70	6	350	18.5
80	6.5	400	20.5

14）燃气管道必须考虑在工作环境温度下的极限变形。当自然补偿不能满足要求时，应设补偿器，但不宜采用填料式补偿器。

15）输送干燃气的管道可不设置坡度。输送湿燃气（包括气相液化石油气）的管道，其敷设坡度不应小于0.003。

必要时，燃气管道应设排污管。

输送湿燃气的燃气管道敷设在气温低于0℃的房间或输送气相液化石油气管道外的环境温度低于其露点温度时，均应采取保温措施。

16）室内燃气管道和电气设备、相邻管道之间的净距不应小于附表C-13的规定。

附表 C-13　燃气管道和电气设备、相邻管道之间的净距

管道和设备		与燃气管道的净距/cm	
		平行敷设	交叉敷设
电气设备	明装的绝缘电线或电缆	25×10	$10 \times 10$①
	暗放的或放在管子中的绝缘电线	5×10（从所做的槽或管子的边缘算起）	1×10
	电压小于 1kV 的露电线的导电部分	100×10	100×10
	配电盘或配电箱	30×10	不允许
相邻管道		应保证燃气管道和相邻管道的安装、安全维护和修理	2×10

①当明装电线与燃气管道交叉净距小于10cm时，电线应加绝缘套管。绝缘套管的两端应各伸出燃气管道10cm。

17）地下室、半地下室、设备层和25层以上建筑的用气安全设施应符合下列要求：

①引入管宜设快速切断阀；

②管道上宜设自动切断阀、泄漏报警器和送排风系统等自动切断连锁装置；

③25 层以上建筑宜设燃气泄漏集中监视装置和压力控制装置，并宜有检修值班室。

18）地下室、半地下室、设备层敷设人工煤气和天然气管道时，应符合下列要求：

①净高不应小于 2.2m；

②应有良好的通风设施。地下室或地下设备层内应有机械通风和事故排风设施；

③应设有固定的照明设备；

④当燃气管道与其他管道一起敷设时，应敷设在其他管道的外侧；

⑤燃气管道应采用焊接或法兰连接；

⑥应用非燃烧体的实体墙与电话间、变电室、修理间和储藏室隔开；

⑦地下室内燃气管道末端应设放散管，并应引出地上。放散管的出口位置应保证吹扫放散时的安全和卫生要求。

防雷接地应符合相关标准规定的要求。

19）液化石油气管道不应敷设在地下室、半地下室或设备层内。

20）室内燃气管道阀门的设置位置应符合下列要求：

①燃气表前；

②用气设备和燃烧器前；

③点火器和测压点前；

④放散管前；

⑤燃气引入管上，并符合相关标准规定的要求。

21）工业企业用气车间、锅炉房以及大中型用气设备的燃气管道上应设放散管；放散管管口应高出屋脊 1m 以上，并应采取防止雨雪进入管道和吹洗放散物进入房间的措施。

当建筑物位于防雷区之外时，放散管的引线应接地，接地电阻应小于 10W。

22）高层建筑的燃气立管应有承重支撑和消除燃气附加压

力的措施。

23）燃气燃烧设备与燃气管道的连接宜采用硬管连接。

24）当燃气燃烧设备与燃气管道为软管连接时，其设计应符合下列要求：

①家用燃气灶和实验室用的燃烧器，其连接软管的长度不应超过2m，并不应有接口；

②工业生产用的需要移动的燃气燃烧设备，其连接软管的长度不应超过30m，接口不应超过2个；

③燃气用软管应采用耐油橡胶管；

④软管与燃气管道、接头管、燃烧设备的连接处应采用压紧螺帽（锁母）或管卡固定；

⑤软管不得穿墙、窗和门。

附录 D　管线附属设施铺设参考

D1　闸门阀

（1）公称直径 $\phi 250 \sim 350$mm 的采用预制的涵盖将上部包住，直径大于上述尺寸的大型闸门阀则在现场建造闸阀井，如附图 D-1 所示。

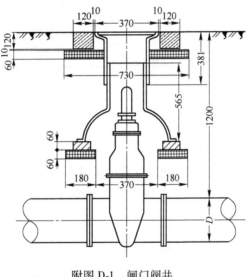

附图 D-1　闸门阀井

（2）水头 40m 以上且直径为 400mm 以上的闸门阀，最好安设旁通阀，如附图 D-2 所示。

D2　空气阀（排气阀）

（1）对小直径管，在直径 $\phi 600$mm 以上的人孔及盖板上安置空气阀，在维护和管理上是方便的。

（2）对于直径 $\phi 400$mm 以上的管，使用双口空气阀。即使小于上述直径，当空气的流出流入特别多时，也采用双口空气

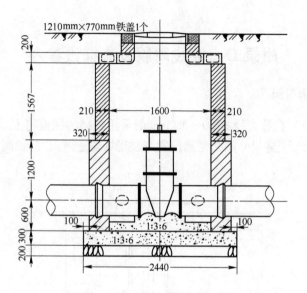

附图 D-2　φ600mm 立式闸门阀井

阀，如附图 D-3 所示。

（3）给水支管上，空气常常容易从给水装置被排出，另外从消火栓也可以排气。所以在两闸门阀的中间没有凸部时，没有特别设施的必要。

D3　排泥管及排出口（附图 D-4）

（1）排泥管的直径是送水管的 1/2～1/6 即可，在使用标准管材时，可用上述中偏大的管材，但对于直径 φ50mm 以上的管，从排出口的关系及其他因素来看，不一定要使用尺寸大的管材。

（2）在放流水面比管底还高的情况下，随着排水管内的水压消失，则不能实现自然流出的完全排水，所以在途中设排泥室，在能够用泵排水的同时，还必须使其不产生逆流。

（3）另外，排出口附近的护岸应当构筑坚固，使其不被排出水所侵蚀和破坏。

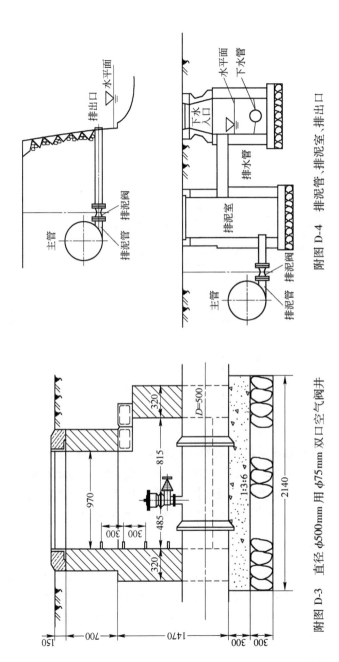

附图 D-4　排泥管、排泥室、排出口

附图 D-3　直径 φ500mm 用 φ75mm 双口空气阀井

D4 横穿河底（附图 D-5）

（1）横穿河底的管道必须仔细进行基础施工，做到构造耐久。另外，根据其重要程度及河川状况，应当设计成两条以上，而且尽量相互分离敷设，使全管线不致同时断水。

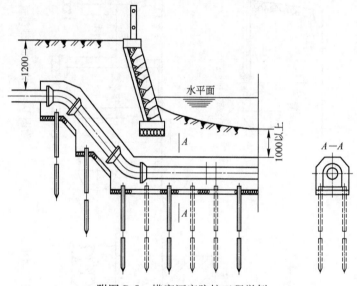

附图 D-5 横穿河底防护工程举例

（2）在越管的前后所连接的管，在地震时是容易引起破坏的部位，因此，在尽量做成平缓坡度的同时，要加强基础，上下的弯管部分都应用混凝土挡墩与支台固定，以防接口脱出。

（3）对于穿越河底的管道使用具有可挠性的接口是安全的。

D5 消火栓（附图 D-6）

（1）消火栓根据沿线的建筑物的状况按 100～200m 间隔来设置。最好设置在道路的交叉点、管线分岔点等消防活动方便的地点，送水管线交叉，消防用水可以从多方面向此集中的地点设置消防栓。

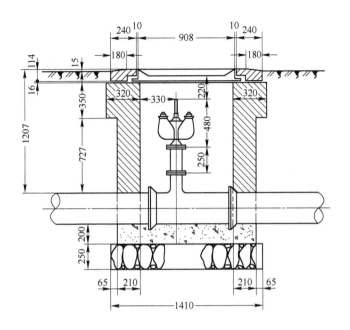

附图 D-6　双头消火栓井

（2）安装消防栓送水管的大小，原则上是单头的情况下，为公称直径 φ150mm 以上，双头的为公称直径 φ300mm 以上。

（3）为了修理而可能断水以及维护管理等方面来考虑，安装带有补修阀的消火栓是方便的。

（4）消火栓的直径为 65mm。但是在使用特殊的消防泵时不受此限。

参 考 文 献

1 ［日］久保田铁工株式会社，著．球墨铸铁管手册．陈源，朱玉俭，姚鹏泉，关福凌，等译．中国金属学会铸铁管委员会，1994

2 ［法］莫松桥公司，著．供水、配水、灌溉及消防用球墨铸铁管网的设计与安装用户指南

3 CJJ 33—2005：城镇燃气输配工程施工及验收规范

4 ISO 10802—1992：管线静态水压试验

5 ISO 10803—1999：球墨铸铁管设计方法

6 ISO 2531—1991：压力管道用球墨铸铁管、管件及附件

7 GB/T 13295—2003：水及燃气管道用球墨铸铁管、管件及附件

8 GB 50028—93：城镇燃气设计规范，2002

9 ［日］久保田铁工株式会社，著．球墨铸铁管设计手册

冶金工业出版社部分图书推荐

书　名	定价(元)
燃气工程	75.00
城市地下管线探测与测漏	20.00
建筑施工组织	25.00
现代铸铁学	38.00
铸造流涂新工艺	13.00
负压实型铸造及铸件质量	20.00
混凝土结构工程施工及验收手册	95.00
现行冶金工程施工标准汇编(上册)	198.00
现行冶金工程施工标准汇编(下册)	198.00
通用机械设备	25.00
机械制造装备设计	35.00
机械设备安装工程手册	178.00
机械制造工艺及专用夹具设计指导	14.00
冶金机械安装与维护	24.00
冶金通用机械与冶炼设备	45.00
采掘机械(第2版)	25.00
冶炼机械	39.00
炼铁机械(第2版)	38.00
炼钢机械(第2版)	25.00
轧钢机械设备	45.00
轧钢机械(第3版)	49.00
铁合金生产实用技术手册	149.00
高炉炼铁生产技术手册	118.00
炉外精炼及铁水预处理实用技术手册	146.00